FRECUENCIAS

Español comunicativo para el siglo XXI

Libro de ejercicios

Equipo **Frecuencias**

Nivel

B1

Edi
numen

Créditos fotográficos:

Pág. 11, Página de FaceBook: Seasontime, Shutterstock.com;
Pág. 15, Shakira: vipflash, Shutterstock.com; Escudos del
Barcelona FC y del Real Madrid: Rose Carson, Shutterstock.com;
Rafael Nadal: Leonard Zhukovsky, Shutterstock.com; **Pág. 21**,
Escuela en Colombia: Maarten Zeehandelaar, Shutterstock.
com; **Pág. 23**, Agricultura extensiva: Alf Ribeiro, Shutterstock.
com; Recarga de coches eléctricos: RossHelen, Shutterstock.
com; **Pág. 26**, Carnicería en Oaxaca, México: Just Another
Photographer, Shutterstock.com; **Pág. 32**, Habitación: Tuan
Anh Vu, Shutterstock.com; **Pág. 33**, Casa Lleó Morera: Pen_85,
Shutterstock.com; Interior de la Sagrada Familia: Albert Nowicki,
Shutterstock.com; **Pág. 45**, Querétaro: Aberu.Go, Shutterstock.com;
Pág. 47, Sillones de neumáticos: Stefano Barzellotti, Shutterstock.
com; **Pág. 51**, El Rastro: emei, Shutterstock.com; Pedro
Rufo, Shutterstock.com; **Pág. 55**, Rafael Nadal: Maxisport,
Shutterstock.com; Pista de tenis del Roland Garros: Olga Besnard,
Shutterstock.com; **Pág. 63**, Mujer artesana: arindambanerjee,
Shutterstock.com.

© Editorial Edinumen, 2021
© Equipo Frecuencias nivel B1: Amelia Guerrero y Carlos Oliva

ISBN - Libro de ejercicios: 978-84-91794-09-7
Depósito Legal: M-243-2021

Impreso en España
Printed in Spain
0321

Coordinación pedagógica:
M.ª José Gelabert

Coordinación editorial:
Mar Menéndez

Diseño de maqueta:
Juanjo López y Sara Serrano

Diseño de portada y maquetación:
Carlos Casado, Juanjo López y Sara Serrano

Estudio de grabación:
Producciones Activawords

Impresión:
Gráficas Muriel

Editorial Edinumen
José Celestino Mutis, 4. 28028 Madrid. España
Teléfono: (34) 91 308 51 42
Correo electrónico: edinumen@edinumen.es
www.edinumen.es

EXTENSIÓN DIGITAL
en ELEteca
Un espacio en constante actualización

- Las **audiciones** de este libro se encuentran disponibles y descargables en nuestra plataforma educativa.

- Para acceder a este espacio, entra en la **ELEteca** (https://eleteca.edinumen.es), activa el código que tienes a continuación y sigue las instrucciones.

CÓDIGO DE ACCESO*

wQLjzwkQST

Para más información, consultar los términos de uso de la ELEteca.

* Este código de activación permite el acceso a los materiales digitales que acompañan este producto durante dieciocho meses.

Índice

Unidad 1 Encuentro de culturas

Palabras

1 Encuentra el intruso y justifica tu respuesta.

1
mar	océano
río	península
lago	

2
costa	playa
cabo	estrecho
cordillera	

3
montaña	costa
pico	meseta
altiplano	

4
bosque	selva
desierto	valle
campo	

1a Observa las imágenes y completa los textos con algunas de las palabras de la actividad anterior.

En los Picos de Europa, en Asturias, a más de 1000 metros de altura, se encuentran los famosos [1] .... de Covadonga. Con aguas oscuras y de origen glaciar, están rodeados de nevadas [2] .... y de verdes [3] .... en los que se alimenta el ganado.

La [4] .... de la Muerte, está en el noroeste de la [5] .... ibérica, en la provincia de La Coruña (Galicia). Situada entre los [6] .... de Roncudo y de Finisterre, es famosa por sus bellos paisajes y sus [7] .... vírgenes de arena blanca.

El Mulhacén, con una altitud de 3482.6 metros sobre el nivel del [8] ...., es el [9] .... más alto de la [10] .... ibérica. Situado en la provincia de Granada, en Andalucía, pertenece al parque natural de Sierra Nevada, en la [11] .... Penibética.

El [12] .... de Tabernas está situado al norte de Almería, en Andalucía, entre dos sierras que lo aíslan de los vientos húmedos de la cercana [13] .... del [14] .... Mediterráneo. Está considerado el único desierto propiamente dicho de todo el continente europeo.

2 Completa el crucigrama con las palabras correspondientes a cada definición.

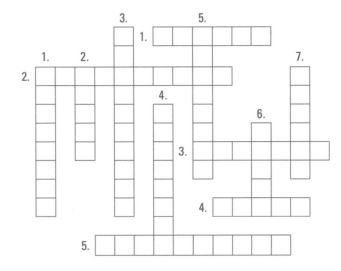

HORIZONTALES

1. Periodo de diez años.
2. Personas que practican la religión islámica.
3. Edificios destinados al culto religioso.
4. Fase en el desarrollo de algo.
5. Personas que practican la religión de Cristo.

VERTICALES

1. Lugar de culto de los musulmanes.
2. Periodo de cien años.
3. El cristianismo, el judaísmo o el islam son…
4. Templos cristianos.
5. Lo contrario de *ateo*.
6. Tiempo caracterizado por determinados hechos históricos y modos de vida.
7. Personas que practican el judaísmo.

2a Completa el texto con las palabras de la actividad anterior.

¿Qué fue la Reconquista?

En la segunda [1] .... del [2] .... VIII, los [3] .... ocupaban casi toda la península ibérica. Solo la región montañosa del norte quedó en manos de los [4] .... Desde allí, y a partir del triunfo en la batalla de Covadonga (año 722), los cristianos iniciaron un lento pero persistente avance hacia el sur para reconquistar el territorio ocupado.

Poco a poco, y en diferentes [5] ...., fueron surgiendo los reinos de Asturias, León, Navarra, Portugal, Castilla y Aragón. Finalmente, en 1492, en tiempos de los Reyes Católicos, la toma de Granada, último reino musulmán, puso fin a la Reconquista.

El territorio reconquistado se repartió principalmente entre la nobleza guerrera, que dedicó sus grandes posesiones sobre todo a la ganadería. Por su parte, los mudéjares (musulmanes que permanecían en los territorios cristianos) se dedicaban en aquella [6] .... a la agricultura y a la pequeña industria. También había muchos [7] ...., que se dedicaban al comercio, los préstamos y los trabajos artesanos. Los [8] .... musulmanes y judíos eran tan numerosos en algunas zonas como los cristianos.

Parte de la valiosa herencia de aquella época en la que convivieron las tres culturas la encontramos en la arquitectura, en especial, los [9] ...., donde los fieles rendían culto a sus respectivas [10] .... El principal ejemplo de este tipo de edificios es la famosa [11] .... de Córdoba, iniciada en el año 785 bajo el reinado del emir omeya Abderramán I y hoy Patrimonio de la Humanidad. Hubo muchos templos no cristianos repartidos por todo el territorio español, algunos desaparecidos porque se construyeron sobre ellos [12] .... católicas.

Adaptado de https://www.elhistoriador.com.ar/la-reconquista-espanola/

3 Escucha la noticia y relaciona la información de forma correcta.

[1]

1. Un 1.7 % de los españoles
2. El 35.5 % de los españoles
3. Un 20.4 % de los madrileños
4. Un 45.9 % de los catalanes
5. Un 50 % de los riojanos
6. Un 13.8 % de los valencianos
7. Un 16.9 % de los vascos
8. Un 90 % de los riojanos

a. se define como católico (ya sea practicante o no).
b. se define como católico no practicante.
c. se declara católico practicante.
d. se declara indiferente ante la Iglesia.
e. es la suma de ateos, agnósticos y no creyentes.
f. afirma pertenecer a alguna religión que no es la católica.

3a Escribe en letras los porcentajes anteriores. Fíjate bien en cómo están escritos.

1. 1,7 % ▸ ....
2. 35.5 % ▸ ....
3. 20,4 % ▸ ....
4. 45.9 % ▸ ....
5. 50 % ▸ ....
6. 13.8 % ▸ ....
7. 16,9 % ▸ ....
8. 90 % ▸ ....

4 Completa las frases con los verbos del recuadro en el tiempo correcto.

repetir | añadir | afirmar | asegurar | reconocer | advertir

1. Te lo ...., si te pones a jugar antes de terminar los deberes, te voy a castigar.
2. La ministra de Educación .... hoy que todas las comunidades recibirán el mismo presupuesto para becas de estudios. ...., además, que parte de ese presupuesto se iba a destinar a becas en el extranjero.
3. El conductor finalmente .... ante las autoridades que el accidente se debió a una distracción al volante.
4. Te lo ....: no quiero ir a la boda de Patricia. ¿Cómo te tengo que decir que no me gustan las bodas?
5. Según un estudio, el 77.6 % de los españoles .... que compra productos sostenibles.

5 Elige la opción correcta para completar las frases. En algunos casos puede haber más de una opción posible.

1. Cuando **salí/salía/he salido** de casa, **hizo/hacía/ha hecho** bastante frío.
2. Todavía no **recibimos/recibíamos/hemos recibido** la invitación para la fiesta.
3. Cuando el otro día nos lo **dijo/decía/ha dicho** Rubén, ya lo **supimos/sabíamos/hemos sabido**.
4. Rosa no **vino/venía/ha venido** a la cena porque **tuvo/tenía/ha tenido** mucho trabajo.
5. Anoche **fui/iba/he ido** a verlo, pero no **estuvo/estaba/ha estado** en casa.
6. Hoy, cuando **fui/iba/he ido** en el metro, **vi/veía/he visto** a Marta.

6 Ilse y Kevin están de vacaciones por Andalucía. Lee lo que ha escrito Ilse en su diario y complétalo escribiendo los verbos entre paréntesis en el tiempo adecuado del pasado: perfecto, indefinido o imperfecto.

Después de unos fantásticos días en Granada, ayer [1] .... (continuar, nosotros) el viaje hacia Córdoba. [2] .... (Hacer) parada en Frigiliana, un pueblecito blanco de Málaga entre la sierra y el mar. [3] .... (Dar) un paseo por las calles del casco antiguo leyendo en unos letreros parte de su historia y cómo [4] .... (caer) sus últimos habitantes moriscos en manos de los cristianos durante la Reconquista.

Cuando [5] .... (llegar) a Córdoba, [6] .... (ser) casi las nueve, así que [7] .... (dejar) el equipaje en el hotel y [8] .... (irse) a cenar a una terracita.

Hoy no [9] .... (parar) en todo el día. Primero [10] .... (pasear) por el barrio de la judería y [11] .... (llegar) a ¡la plaza más pequeña del mundo! Se accede a ella por la calleja del Pañuelo, que se llama así porque tiene la medida de un pañuelo de punta a punta. Y sí, es verdad, porque [12] .... (hacer) la prueba. Para pasar, [13] .... (tener) que turnarnos porque no [14] .... (caber) todos.

Frigiliana, Málaga

También [15] .... (visitar) la plaza del Potro, donde están el Museo de Bellas Artes y el del pintor Julio Romero de Torres, que [16] .... (hacerse) muy famoso en su época por retratar a mujeres andaluzas. Parece ser que esta plaza es un orgullo para los cordobeses porque Cervantes la [17] .... (mencionar) en el *Quijote*. Es que, por lo visto, Cervantes [18] .... (vivir) en Córdoba varios años porque parte de su familia [19] .... (ser) de esta ciudad.

Por la tarde, [20] .... (ir) a un típico patio cordobés. Son patios interiores de casas tradicionales, con paredes blancas decoradas con macetas con flores. En 2012 [21] .... (ser) declarados Patrimonio Cultural de la Humanidad. Todos los años, en el mes de mayo, se celebra un concurso para premiar a los más bonitos de la ciudad. El patio en el que [22] .... (estar) nosotros lo [23] .... (ganar) ya tres veces.

Cristo de los Faroles

Callejeando, [24] .... (llegar) a una pequeña plaza con una cruz en el centro, la plaza del Cristo de los Faroles. Justo en ese momento, [25] .... (estarse) poniendo el sol. ¡Creo que [26] .... (ser) uno de los atardeceres más bonitos que [27] .... (ver, yo) en mi vida!

Y mañana la Mezquita y las ruinas de Medina Azahara; creo que necesitaríamos más días para ver Córdoba, pero Cádiz nos espera y nos [28] .... (decir, ellos) que sus playas son increíbles. ¡Qué ganas!

6a Completa la información con las palabras del recuadro y añade, después, algunos ejemplos del texto anterior.

> indefinido │ desarrollo │ imperfecto │ experiencias │ terminado │ perfecto

- Usamos el pretérito [1] .... para hablar de acciones terminadas en un tiempo aún no terminado o que percibimos como presente. Ejemplos: ....
  También se usa para hablar de [2] .... en general, sin una idea específica de tiempo. Ejemplos: *23*, ...

- Usamos el pretérito [3] .... para hablar de acciones terminadas en un tiempo también [4] ....
  Sirve para contar anécdotas, hechos históricos o acontecimientos. Ejemplos: ....

- El pretérito [5] .... presenta la acción en un tiempo pasado, pero no especifica el comienzo o el final de la misma, solo indica su [6] .... Ejemplos: ....

- Para narrar usamos el pretérito [7] .... y el pretérito [8] ...., mientras que para describir o hablar de las circunstancias que rodean los hechos usamos el [9] .... Ejemplos: ....

7 Relaciona cada frase con su continuación y después escribe los verbos entre paréntesis en pretérito indefinido o pretérito pluscuamperfecto según corresponda.

1. Cuando .... (encontrar, nosotros) el museo,
2. Le .... (decir, yo) que tenía hambre y a los cinco minutos
3. ¡Me encanta Córdoba!,
4. El lunes no .... (ir, yo) a la reunión,
5. Cuando .... (llegar, yo) al trabajo,
6. .... (Ir, nosotros) a ese restaurante
7. Esas galletas te .... (quedar) buenísimas,
8. .... (Sacar, ella) tan buena nota
9. Le .... (decir, yo) que era un secreto

a. nunca las .... (hacer, tú) con canela, ¿no?
b. porque nadie me .... (avisar).
c. ya lo .... (cerrar, ellos).
d. porque nos lo .... (recomendar) unos amigos.
e. y al día siguiente ya .... (enterarse) toda la empresa. ¡No vuelvo a confiar en ella!
f. me .... (dar) cuenta de que .... (olvidar, yo) el monedero en casa.
g. porque .... (estudiar) mucho.
h. ya .... (preparar, él) unos sándwiches.
i. creo que nunca .... (estar, yo) en una ciudad tan bonita.

7a Clasifica en la tabla los verbos en pretérito pluscuamperfecto de la actividad anterior según su uso.

Hablar de un pasado anterior a otro pasado	Hablar de una experiencia que se tiene por primera vez	Expresar la inmediatez de una acción

8 Escribe frases usando el pretérito pluscuamperfecto y las siguientes palabras.

1. ya ❯ ....
2. todavía no ❯ ....
3. nunca antes ❯ ....
4. a los cinco minutos ❯ ....
5. el día anterior ❯ ....

9 Lee las siguientes citas de algunos escritores del mundo hispánico y transfórmalas a estilo indirecto.

> "Uno no es lo que es por lo que escribe, sino por lo que ha leído".
> Jorge Luis Borges (1899-1986)

> "Pueden cortar todas las flores, pero no pueden detener la primavera".
> Pablo Neruda (1904-1973)

> "Alcancé a comprender que el tiempo nunca se gana y nunca se pierde, que la vida se gasta, simplemente".
> Almudena Grandes (1960)

> "He conocido a mucha gente a lo largo de mi vida que, en nombre de ganar dinero para vivir, se lo toman tan en serio que se olvidan de vivir".
> Carmen Martin Gaite (1925-2000)

> "En la bandera de la libertad bordé el amor más grande de mi vida".
> Federico García Lorca (1898-1936)

> "Nadie ofrece tanto como el que no va a cumplir".
> Francisco de Quevedo (1580-1645)

1. Jorge Luis Borges dijo que ....
2. Pablo Neruda dijo que ....
3. Almudena Grandes dijo que ....
4. Carmen Martín Gaite dijo que ....
5. Federico García Lorca dijo que ....
6. Francisco de Quevedo dijo que ....

10 Transforma las siguientes frases a estilo indirecto o viceversa, según corresponda.

1. ¿Por qué no viniste ayer? ❯ Me preguntó ....
2. .... ❮ Me dijo que habían tenido problemas con el servidor.
3. No podemos quedarnos aquí, va a empezar a llover. ❯ Dijo que ....
4. ¿Quieres venir con nosotros al cine? ❯ Me ha preguntado ....
5. .... ❮ El presidente ha asegurado que promoverán el uso de las bicicletas en la ciudad.
6. ¿Te has apuntado a la excursión? ❯ Me ha preguntado ....
7. .... ❮ Nos preguntó que dónde nos habíamos conocido.
8. Esta es la escuela en la que hemos estudiado mis hermanos y yo. ❯ Laura me contó que ....
....
9. .... ❮ Afirmó que había revisado ese informe varias veces.
10. .... ❮ El vigilante exclamó que teníamos que salir rápidamente de allí.

11 🔊 Esta mañana María ha salido de viaje por trabajo y ha olvidado el móvil en casa. Cuando llega al hotel, llama a Luis, su marido, y le pregunta si tiene llamadas o mensajes en el contestador. Imagina que eres
[2] Luis, escucha los mensajes y transmíteselos a Ana.

MENSAJE 1	MENSAJE 2	MENSAJE 3
Tu madre...	El centro de salud...	Tu colega Ana...

MENSAJE 4	MENSAJE 5	MENSAJE 6
Tu jefe...	La dependienta de la zapatería...	Tu amiga Lucía...

12 Completa el texto con las palabras del recuadro.

Iberia | al-Ándalus | Hispania | Sefarad

La península ibérica ha tenido diferentes nombres a lo largo de la historia. El nombre con el que la llamaban los griegos que llegaron hasta ella para fundar ciudades era [1] .... Algunos siglos después, los romanos colonizaron toda la península y le dieron el nombre de [2] .... Los judíos que vivieron en la península desde la época romana hasta el siglo xv la conocían como [3] .... y los musulmanes, tras conquistarla en el siglo VIII, la llamaron [4] ....

13 Escribe debajo de las imágenes a qué cultura crees que pertenece cada una: romana, musulmana o judía.

13a [🔊] Escucha y comprueba tu respuesta anterior. Después escribe el nombre de cada monumento y la ciudad donde se encuentra.
[3]

1. ....
2. ....
3. ....

4. ....
5. ....
6. ....

14 Ordena el siguiente texto sobre el origen de la palabra *España*.

a. ☐ la ciudad principal de la península, los fenicios, y posteriormente los romanos, dieron ese nombre a todo el territorio.

b. ☐ *Hispania* es una variación de *Hispalis*, palabra de origen íbero que se piensa que significa 'la ciudad de occidente', y que al ser Hispalis, la actual Sevilla,

c. ☐ La palabra *España* tiene su origen en *Hispania*, el nombre que usaban los romanos para el conjunto de la península ibérica. Los historiadores y escritores latinos pensaban que...

d. ☐ que se traduce como "tierra donde se trabajan los metales". Sin embargo, han existido otras teorías que defendían la creencia de que...

e. ☐ esta palabra significaba 'tierra de conejos'. Pero la teoría más aceptada en la actualidad sugiere que viene de *I-span-ya*, palabra fenicia

Unidad 2 EnREDados

Palabras

1 Marca las palabras que designan dispositivos electrónicos.

1. ☐ portátil	6. ☐ tableta	11. ☐ usuario	16. ☐ correo
2. ☐ pantalla	7. ☐ ratón	12. ☐ móvil	17. ☐ cámara
3. ☐ enlace	8. ☐ programa	13. ☐ aplicación	18. ☐ reloj inteligente
4. ☐ batería	9. ☐ cargador	14. ☐ conexión	19. ☐ antivirus
5. ☐ contraseña	10. ☐ lápiz de memoria	15. ☐ teclado	20. ☐ cascos/auriculares

1a Relaciona las palabras marcadas anteriormente con su imagen correspondiente.

Ⓐ ☐   Ⓑ ☐   Ⓒ ☐   Ⓓ ☐   Ⓔ ☐   Ⓕ ☐

Ⓖ ☐   Ⓗ ☐   Ⓘ ☐   Ⓙ ☐   Ⓚ ☐   Ⓛ ☐

2 Escribe el verbo que representa cada imagen.

1. ....   2. ....   3. ....   4. ....   5. ....   6. ....

3 Escribe la palabra correspondiente a cada definición.

1. Transferir información desde internet al propio ordenador. También se le suele llamar *bajar*: ....

2. Dispositivo electrónico de pequeño tamaño que se maneja con la mano y mediante el que se pueden dar instrucciones al ordenador para que realice una determinada acción: ....

3. Programa informático que sirve para detectar las amenazas en nuestro equipo y desinfectar o eliminar los archivos infectados: ....

4. Dispositivo que se conecta al ordenador y en el que aparecen las imágenes: ....

5. Dispositivo externo de almacenamiento de datos. También se le llama *pen* o *pendrive*: ....

6. Conjunto de caracteres conocido solo por el usuario que le permite el acceso a zonas privadas: ....

7. Programa diseñado para encontrar sitios o páginas web y navegar por ellos: ....

8. Texto destacado que nos lleva a otra parte del documento o a otra página web al hacer clic en él: ....

9. Enviar un archivo de cualquier tipo (textual, de imágenes…) junto a un mensaje: ....

4 Completa las frases con los verbos del recuadro.

> colgar | navegas | descargarse | reenvias | intercambiar | adjunto | crear | instalarte

1. Perdona, pero no encuentro el mensaje del que me hablas. ¿Me lo ....?
2. Verás que junto al mensaje te .... un documento. Ahí vienen las tarifas de los cursos.
3. Si no quieres tener problemas y manejas información sensible en tu ordenador, lo que tienes que hacer es .... un antivirus.
4. A la hora de .... una contraseña, debes intentar que esta incluya mayúsculas y minúsculas y también diferentes tipos de caracteres.
5. Antes de .... fotos en tus redes sociales, asegúrate de que a las personas que aparecen en ellas no les importa que lo hagas.
6. Esta herramienta es muy útil; con ella podremos .... archivos entre nosotros mientras estamos teletrabajando.
7. Una vez inscritos, los estudiantes podrán .... la programación del curso así como los contenidos del primer módulo.
8. Si .... por internet, asegúrate de que las páginas que visitas son seguras.

5 Elige la opción correcta.

1. Descargarse un **navegador**/una **página**/un **programa**/una **cuenta**/un **perfil**.
2. Colgar un **navegador**/un **archivo**/un **antivirus**/una **cuenta**/un **programa**.
3. Publicar un **buscador**/un **programa**/un **antivirus**/una **cuenta**/una **imagen**.
4. Abrirse **información**/**datos**/un **antivirus**/una **cuenta**/una **imagen**/un **documento**.
5. Crear un **navegador**/una **imagen**/un **buscador**/un **perfil**/un **antivirus**.
6. Entrar en una **página**/una **información**/una **imagen**/un **programa**/un **antivirus**.

6 🔊 Escucha las intervenciones y relaciónalas con su imagen correspondiente.

[4]

6a Relaciona las frases con las situaciones anteriores.

1. ☐ Explica cómo publicar contenidos en una red social.
2. ☐ Dice que los datos que te solicitan solo se usan de forma privada.
3. ☐ Dice que te permite liberar espacio en tu ordenador.
4. ☐ Da consejos a alguien que no consigue instalarse una aplicación.
5. ☐ Quiere crearse una cuenta en una red social.
6. ☐ Asegura que puedes almacenar mucha información de forma gratuita y segura.
7. ☐ Aconseja desinstalar antes una versión más antigua.
8. ☐ Recomienda que selecciones quién ve tus publicaciones.

7 Escribe en cuaderno cuáles son tus hábitos en relación con las nuevas tecnologías en el trabajo, en tus estudios o en tu vida personal. Explica dónde las usas más y cómo y qué sueles hacer en cada caso.

Gramática

8 Completa la tabla con las formas que faltan del presente de subjuntivo regular.

	Hablar	Comprender	Subir
yo	hable	[4]	suba
tú	[1]	comprendas	[7] ....
él, ella, usted	[2]	comprenda	[8] ....
nosotros/as	hablemos	[5]	subamos
vosotros/as	[3]	comprendáis	[9] ....
ellos, ellas, ustedes	hablen	[6]	suban

9 Completa la tabla con las formas que faltan del presente de subjuntivo irregular.

	Perder e › ie	Mentir e › ie + e › i	Poder o › ue	Morir o › ue + o › u	Seguir e › i
yo	pierda	[4]	[8]	muera	siga
tú	[1]	mientas	puedas	[11]	sigas
él, ella, usted	[2]	[5]	pueda	muera	[15] ....
nosotros/as	[3]	mintamos	[9]	[12]	[16] ....
vosotros/as	perdáis	[6]	podáis	[13]	[17] ....
ellos, ellas, ustedes	pierdan	[7]	[10]	[14]	sigan

10 Clasifica los verbos del recuadro en la tabla según su forma en presente de subjuntivo.

| impedir | recordar | pensar | repetir | leer | querer | sentir | comenzar | preferir |
| estudiar | almorzar | volver | reír | vestir | empezar | llover | volar | imprimir | situar | invertir |

e › ie	e › ie + e › i	o › ue	e › i	Regular

11 Escribe el presente de subjuntivo de los siguientes verbos en la persona indicada.

1. hacer, nosotras › ....
2. construir, tú › ....
3. oír, ellos › ....
4. decir, yo › ....
5. salir, vosotros › ....
6. haber, ella › ....
7. ser, ellas › ....
8. saber, vosotras › ....
9. ir, yo › ....
10. traer, nosotros › ....
11. conocer, él › ....
12. ver, tú › ....

11a Completa cada frase con una de las formas verbales de la actividad anterior.

1. No quiere que .... lo que pienso.
2. Os prohíben que .... a la calle sin su permiso.
3. Deseamos que Mario .... a nuestro bebé.
4. No nos dejan que .... el móvil a clase.

12 Completa las frases con los verbos del recuadro en la forma correcta.

| imponer | reducir | caer | influir | pagar | indicar |

1. Si tiene algún tipo de alergia, le ruego que lo .... en esta casilla.
2. ¿Puedes ayudarme con esto? Es que pesa mucho y no quiero que se me ....
3. Espero que te .... bien este trabajo, así podremos planear unas buenas vacaciones.
4. Si quieres que tu hijo te haga caso, te recomiendo que no le .... las cosas.
5. No voy a darte mi opinión porque no quiero que .... en tu decisión.
6. Si quiere perder peso, le aconsejo que .... el consumo de azúcar y de grasas.

13 🔊 Escucha los diálogos y marca qué función o funciones se expresan en cada uno de ellos.

[5]

	Diálogo 1	Diálogo 2	Diálogo 3	Diálogo 4	Diálogo 5	Diálogo 6	Diálogo 7
1. Dar consejo o recomendación.	☐	☐	☐	☐	☐	☐	☐
2. Pedir consejo o recomendación.	☐	☐	☐	☐	☐	☐	☐
3. Pedir permiso.	☐	☐	☐	☐	☐	☐	☐
4. Conceder permiso.	☐	☐	☐	☐	☐	☐	☐
5. Expresar prohibición.	☐	☐	☐	☐	☐	☐	☐
6. Expresar deseo.	☐	☐	☐	☐	☐	☐	☐
7. Hacer una petición.	☐	☐	☐	☐	☐	☐	☐

14 Relaciona cada frase con lo que expresa.

1. Te ordeno que salgas ahora mismo de aquí.
2. No quiero que te vayas tan pronto.
3. No dejan que salgamos a esta hora.
4. Te sugiero que la llames antes de ir a su casa.
5. Te dejo que veas la tele, pero solo un rato.
6. Les rogamos que mantengan los móviles apagados durante la función.

a. prohibición
b. consejo
c. orden
d. permiso
e. deseo
f. petición

15 Indica si las siguientes frases son correctas o incorrectas y, después, corrige las incorrectas.

1. Os prohíbo salir antes del final de la clase. .... C I
2. Te pido escucharme, por favor. .... C I
3. La profesora espera que terminamos el trabajo antes de mañana. .... C I
4. Nos ordena que hagamos la cama antes de salir de casa. .... C I
5. Te suplico que bajes el sonido de la música. Me va a estallar la cabeza. .... C I
6. ¿Me aconsejas que visite Bilbao? ¿Es interesante? .... C I
7. ¿Nos recomiendas que cenamos en este restaurante? Tú sueles ir, ¿verdad? .... C I
8. Os sugiero que llevéis el paraguas, va a llover. .... C I
9. Por suerte, nuestro trabajo nos permite viajar mucho. .... C I
10. ¿Nos dejas veamos la tele un ratito? .... C I
11. Te ruego que me ayudas con este ejercicio. Es que no consigo entenderlo. .... C I
12. Quiero que me dejes en paz de una vez. .... C I

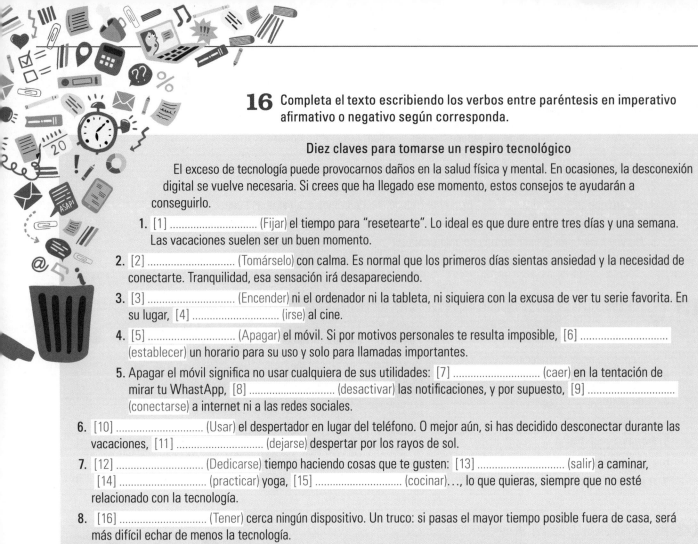

16 Completa el texto escribiendo los verbos entre paréntesis en imperativo afirmativo o negativo según corresponda.

Diez claves para tomarse un respiro tecnológico

El exceso de tecnología puede provocarnos daños en la salud física y mental. En ocasiones, la desconexión digital se vuelve necesaria. Si crees que ha llegado ese momento, estos consejos te ayudarán a conseguirlo.

1. [1] .... (Fijar) el tiempo para "resetearte". Lo ideal es que dure entre tres días y una semana. Las vacaciones suelen ser un buen momento.

2. [2] .... (Tomárselo) con calma. Es normal que los primeros días sientas ansiedad y la necesidad de conectarte. Tranquilidad, esa sensación irá desapareciendo.

3. [3] .... (Encender) ni el ordenador ni la tableta, ni siquiera con la excusa de ver tu serie favorita. En su lugar, [4] .... (irse) al cine.

4. [5] .... (Apagar) el móvil. Si por motivos personales te resulta imposible, [6] .... (establecer) un horario para su uso y solo para llamadas importantes.

5. Apagar el móvil significa no usar cualquiera de sus utilidades: [7] .... (caer) en la tentación de mirar tu WhastApp, [8] .... (desactivar) las notificaciones, y por supuesto, [9] .... (conectarse) a internet ni a las redes sociales.

6. [10] .... (Usar) el despertador en lugar del teléfono. O mejor aún, si has decidido desconectar durante las vacaciones, [11] .... (dejarse) despertar por los rayos de sol.

7. [12] .... (Dedicarse) tiempo haciendo cosas que te gusten: [13] .... (salir) a caminar, [14] .... (practicar) yoga, [15] .... (cocinar)…, lo que quieras, siempre que no esté relacionado con la tecnología.

8. [16] .... (Tener) cerca ningún dispositivo. Un truco: si pasas el mayor tiempo posible fuera de casa, será más difícil echar de menos la tecnología.

9. Pasado el periodo de desconexión total, [17] .... (adoptar) nuevos hábitos para evitar que la situación se repita; por ejemplo, [18] .... (hacer) limpieza de aplicaciones y [19] .... (desinstalar) las que creas que no necesitas, así te librarás de notificaciones sin importancia que distraen tu atención.

10. [20] .... (Recordar) que lo importante es que tú controles la tecnología, no que la tecnología te controle a ti.

Adaptado de https://www.webconsultas.com/curiosidades/detox-digital-10-claves-para-tomarse-un-respiro-tecnologico

16a Transforma los imperativos del texto anterior de afirmativo a negativo y viceversa.

1. ....
2. ....
3. ....
4. ....
5. ....

6. ....
7. ....
8. ....
9. ....
10. ....

11. ....
12. ....
13. ....
14. ....
15. ....

16. ....
17. ....
18. ....
19. ....
20. ....

16b ¿Has sentido tú también en algún momento la necesidad de "desconectarte"? ¿Qué consejos del texto que has leído te parecen acertados? ¿Cuáles añadirías tú? Escríbelo en tu cuaderno.

17 Escucha y completa las respuestas con las palabras que faltan.

[6]

1. Sí, claro, ...
2. No, ..., las voy a usar yo para hacer un pastel.
3. No, ... aún, que se ponen muy nerviosos.
4. Sí, ..., que conoces mejor sus gustos.

5. Sí, ..., muchas gracias.
6. .... a Pepe, creo que fue el último que las usó.
7. No, ... aún, esperad a que estemos todos.
8. No, claro, ... ¿Se encuentra bien?

18 Elige la opción correcta.

1. En la actualidad el español es la .... lengua más usada en internet.
   - a. primera
   - b. segunda
   - c. tercera

2. .... de los usuarios de internet se comunica en español.
   - a. El 5 %
   - b. Casi el 8 %
   - c. Más del 10 %

3. El .... y el .... son, junto con el español, las lenguas más usadas en internet.
   - a. inglés/chino
   - b. inglés/árabe
   - c. inglés/alemán

4. Si en España decimos ordenador, en algunos países de Hispanoamérica dicen ....
   - a. ordenadora
   - b. computador
   - c. computadora

5. .... es el único país de habla hispana que está entre los veinte países con más usuarios de internet.
   - a. Argentina
   - b. México
   - c. España

6. Mientras que en España hacemos una copia de seguridad, en México hacen una ....
   - a. copia de control
   - b. copia de garantía
   - c. copia de respaldo

7. El español es la segunda lengua más hablada en ....
   - a. Facebook y Twitter
   - b. Facebook e Instagram
   - c. Instagram y Facebook

8. Sus páginas son las más seguidas en España.
   - a. Shakira.
   - b. Rafael Nadal.
   - c. Los clubs de fútbol del Real Madrid y del Barça.

19 Lee el texto e inserta los fragmentos que faltan en su lugar correspondiente.

Las redes sociales más populares en España

Un estudio revela que pasamos casi dos horas al día en las redes sociales. Hace apenas unos días, [1] ☐, WhatsApp anunciaba que había alcanzado los 2000 millones de usuarios [2] ☐. Desde que llegó al mercado de aplicaciones [3] ☐, la plataforma de mensajería ha ido evolucionando hasta convertirse en una auténtica red social [4] ☐.

Así lo daba a conocer la compañía a través de un comunicado con el que se confirmaba como una de las plataformas más populares [5] ☐. A pesar de este último dato, no consigue establecerse en España [6] ☐.

Según el informe *Digital 2020* de Hootsuite y We Are Social, YouTube es la red social favorita en España: el 89 % de los españoles está familiarizado con esta plataforma. De esta manera, [7] ☐ se impone a otras como WhatsApp (86 %), Facebook (79 %), Instagram (65 %) y Twitter, quinta clasificada con un 53 %.

Y es que el uso de redes sociales no ha dejado de crecer [8] ☐. Según los datos recogidos por Hootsuite, un 49 % de la población mundial (3805 millones de personas) reconoce estar familiarizado con estas; [9] ☐, los responsables del informe aseguran que 29 millones de personas utilizan alguna de estas plataformas [10] ☐. Unos usuarios que, de media, permanecen conectados 1 hora y 51 minutos al día.

Adaptado de https://cadenaser.com/ser/2020/02/17/ciencia/1581937474_512829.html

- a. desde la que podemos realizar distintas acciones
- b. la popular plataforma de vídeos
- c. a diario
- d. concretamente el pasado 11 de febrero
- e. en todo el planeta
- f. durante los últimos años
- g. en enero de 2009
- h. en el caso de España
- i. como la red social más popular
- j. en el mundo digital

Unidad 3 Un poco de educación

Palabras

1 Lee esta información sobre una escuela de español y escribe las palabras del recuadro en su lugar correspondiente.

cursos | clases | matrícula | horarios | bachillerato | aprendizaje | intercambio | asignaturas

Nuestra escuela ofrece diferentes programas para el [1] .... del español. Tenemos [2] ....
intensivos de cuatro horas diarias que te permitirán una rápida inmersión en la lengua y la cultura españolas.

Si no dispones de mucho tiempo para estudiar y necesitas [3] .... enfocadas a tus necesidades, puedes
tomar lecciones particulares. El profesor o la profesora se desplazará a tu domicilio o a tu lugar de trabajo, o, si lo
prefieres, puedes recibir las clases *online* o en nuestras aulas, todas equipadas con las últimas tecnologías.

Además, hay cursos específicos orientados al estudio, en español, de [4] ....
como Historia, Arte o Literatura, cursos especialmente diseñados para estudiantes
extranjeros que desean realizar el [5] .... en España. Si eliges esta opción,
cada semana tendrás una interesante charla en nuestra sala de conferencias.

Nuestro programa de [6] .... también va dirigido estudiantes de secundaria:
vivirás durante unas semanas con una familia española y, luego, tu anfitrión español vivirá en
tu casa. Será, sin duda, una experiencia inolvidable.

Encontrarás información sobre las condiciones de la [7] .... y los [8] ....
de cada curso en nuestra página web. Si lo prefieres, contacta por medio del chat o ven a vernos.
En secretaría te informaremos personalmente y, además, conocerás las instalaciones: el aula
multimedia, la biblioteca, la sala de profesores y la cafetería.

1a Subraya en el texto anterior todas las palabras relacionadas con la enseñanza y clasifícalas en la tabla según su categoría.

1.	2. Personas	3. Programas/Tipos de ....
aulas		intensivos

4. Ciclos	5.	6. Otros
	Historia	escuela

1b Lee el correo que ha escrito un estudiante extranjero a la escuela de español y corrige los errores que ha cometido al combinar las palabras.

●●●   De: Hans Bosch   Para: Escuela de español   Asunto: Clases

Estimados señores:
Me gustaría hacer clases específicas de español de los negocios. ¿Pueden decirme si es
posible estudiarlo en curso particular o si tengo que hacerlo en clases intensivas? También
me interesa mucho el curso de intercambio, ¿podrían enviarme más información?
Gracias de antemano por su respuesta.
Hans Bosch

2 Elige la opción correcta.

1. Después de la universidad, haré un
.... para completar mi formación.
  a. graduado   b. máster   c. bachillerato

2. ¿Qué .... piensas estudiar en la universidad?
  a. nota   b. apuntes   c. carrera

3. Mi hermano ya está ....; terminó Medicina en junio.
  a. grado   b. estudiado   c. graduado

4. Hizo muy bien el examen y obtuvo muy buenas ....
  a. asignaturas   b. notas   c. becas

5. Ayer no pude venir a clase, ¿me dejas tus ....?
  a. apuntes   b. carreras   c. notas

6. Mi .... favorita es Historia. ¿Cuál es la tuya?
  a. matrícula   b. aula   c. asignatura

3 Completa las frases con el verbo adecuado en la forma correcta.

1. .... el examen porque no tuve tiempo para prepararlo bien.
2. .... esta asignatura porque el año pasado no pude examinarme de ella.
3. Diego ya .... en una academia para estudiar inglés.
4. Sara ya .... una beca para el año que viene.
5. Espero que mi hermano .... todas las asignaturas.
6. Seguramente el año que viene Rosa .... mejores notas que este.
7. Las calificaciones no están porque el profesor aún no .... los exámenes.
8. ¿Por fin tu novia .... un máster el año que viene?

4 Relaciona las actividades con su espacio correspondiente de un aula virtual.

1. Discutir las actividades y los temas con otros estudiantes.
2. Publicar anuncios y avisos.
3. Hablar en directo con los compañeros.
4. Valorar el curso.
5. Pedir información sobre los cursos.
6. Disponer de material de apoyo.
7. Consultar bibliografía.
8. Ver las fichas personales de los compañeros.

a. Encuestas
b. Chat
c. Tablón de noticias
d. Foro
e. Curso y contenidos
f. Secretaría
g. Rincón del estudiante
h. Recursos

5 Escribe en tu cuaderno un texto de unas cien palabras sobre tu currículum académico. Ten en cuenta los siguientes puntos.

- Los diferentes ciclos que has estudiado y dónde los has realizado.
- Las asignaturas en que has tenido mejores notas.
- Los exámenes más importantes que has hecho.
- Cursos de idiomas u otras materias: ¿dónde y cómo los has realizado?
- Cursos en línea.

6 Completa las frases escribiendo los verbos entre paréntesis en presente de subjuntivo.

1. Tengo ganas de que Marta y tú .... (venir) a verme.

2. Mi madre espera que .... (aprobar, yo) todas las asignaturas, pero va a ser difícil.

3. ¿Qué quieres que .... (hacer) luego? ¿Vamos al teatro?

4. No deseo que .... (cambiar) nada, quiero que .... (seguir) todo igual.

5. ¿Quién prefiere que .... (salir, nosotros) a cenar fuera?

6. Ojalá el examen .... (ser) fácil y .... (poder, yo) terminarlo pronto.

7 Escribe un correo electrónico a una amiga expresándole buenos deseos. Ten en cuenta la siguiente información.

- Esta semana hará el último examen de su carrera, si lo aprueba, se gradúa.
- Se irá de vacaciones a México durante un par de semanas.
- Después de las vacaciones tendrá una importante entrevista de trabajo.
- Han operado hace poco a su perro Thor.
- Esperas una respuesta de ella lo antes posible.

| ● ● ● | Para: Elena | De: | Asunto: ¿Qué tal? |

8 Escribe las expresiones del recuadro debajo de la imagen correspondiente según la situación que representan.

> ¡Que te mejores!   ¡Que os divirtáis!   ¡Que tengas suerte!
> ¡Que cumplas muchos más!   ¡Que aproveche!   ¡Que tengáis buen viaje!

9 Lee el texto y reescríbelo en tu cuaderno transformando los consejos que aparecen en imperativo con los verbos y estructuras que has estudiado en la unidad. Fíjate en el ejemplo.

Ejemplo: *Ten paciencia.* › *Te aconsejo que tengas paciencia.*

Blog

El español se habla cada vez más. En la actualidad hay más de 500 millones de hablantes y son más de 20 millones las personas que lo estudian. Por eso, porque el español te puede abrir muchas puertas en cualquier lugar del mundo, en esta entrada compartiré contigo algunos consejos para que lo aprendas bien.

- Ten paciencia. Para hablar bien un idioma es necesario dedicarle tiempo. Por eso, ve paso a paso y plantéate retos en cada uno. Prémiate por los logros y evita proponerte objetivos inalcanzables.

- Lee en español; es un método excelente para aprender rápidamente palabras y expresiones comunes. Busca textos adecuados a tu nivel: artículos, entradas de blog, historias cortas, etc.

- Organiza bien tu trabajo. En la actualidad hay tantos recursos disponibles que es fácil sentirse superado por la cantidad de material de que disponemos. Por eso, utiliza los recursos que se adapten mejor a tus necesidades.

- Aprende con un amigo; así podrás practicar fuera de clase y sentirte más motivado.

- Usa tarjetas de memoria; apunta en ellas las palabras nuevas que aprendes o las que te cuesta más recordar, y repásalas de vez en cuando, mientras esperas al autobús o haces cola en el supermercado.

- Ve películas y series con subtítulos en español; resulta muy útil si quieres mejorar tu español. Al principio, también puedes verlas en tu idioma, pero con subtítulos en español.

- Distribuye tu tiempo; programa momentos para el estudio y otros para la práctica.

- Únete a una comunidad de habla hispana. Busca en internet, hay mucha gente que quiere practicar con otros estudiantes de español.

Adaptado de https://www.salminter.com/blog/10-trucos-para-aprender-espanol-mas-rapido/

---

10 Reescribe las frases usando los verbos que expresan petición.

1. Por favor, déjame terminar este ejercicio. › ....
2. Explícame la situación, quiero entenderla. › ....
3. Id con él, necesita vuestra ayuda. › ....
4. Siéntese aquí y espere, por favor. › ....
5. Salid en orden y en silencio. › ....

11 Fíjate en estas señales que hay en un campus universitario. Escribe, usando el infinitivo o el subjuntivo, qué prohíben hacer a los estudiantes.

1. .... 2. .... 3. .... 4. ....

11a Escribe en tu cuaderno tres cosas que normalmente están prohibidas en clase y otras tres que están permitidas.

 Nos prohíben que...    Nos permiten que...

---

12 Elige la opción correcta.

1. Espero que .... más suerte y que la prueba oral nos .... mejor.
   a. tenemos/salir   b. tengamos/sale   c. tengamos/salga

2. En nuestro instituto no nos dejan .... el móvil durante la clase.
   a. miramos   b. mirar   c. miremos

3. Quiero que te .... un momento y que nos .... qué pasó.
   a. sientes/explicas   b. sientas/explicar   c. sientes/expliques

4. Te aconsejo que .... siempre las respuestas antes de entregar un examen.
   a. revises   b. revisas   c. revisar

5. ¿Esperas que me .... lo que ....?
   a. creo/digas   b. crea/dices   c. crea/decir

6. Le rogamos que .... puntual y que .... la documentación requerida.
   a. sea/traiga   b. ser/traer   c. es/traiga

7. ¿Me aconsejas que .... a ver esa película al cine o mejor .... a que esté en Netflix?
   a. voy/me espero   b. ir/me espere   c. vaya/me espero

8. No te recomiendo que le .... a Juan la verdad.
   a. cuentes   b. contar   c. cuentas

9. Os pido que .... bien y que no .... con vuestros primos.
   a. portarse/peleáis   b. os portéis/os peleéis   c. os portáis/os peleáis

10. No entiendo nada, nos permiten .... en equipo en la biblioteca, pero nos prohíben .... ¿Entonces cómo hacemos?
    a. trabajemos/hablemos   b. trabajar/hablar   c. trabajamos/hablamos

12a Clasifica las frases anteriores según su uso. En algunos casos hay más de una opción.

Consejo o recomendación: ....   Permiso: ....   Petición: ....

Prohibición: ....   Deseo: ....

13 🔊 Escucha la conversación y marca si la información corresponde a Javi (J) o a Eva (E).

[7]
1. Cree que la profesora tal vez está enfadada porque los estudiantes llegan tarde. .... J E
2. Espera que la profesora no les ponga un examen sorpresa. .... J E
3. Pregunta por qué la profesora les ha pedido que mañana sean puntuales. .... J E
4. Aconseja estudiar por si se trata de un examen sorpresa. .... J E
5. Piensa que seguramente la profesora les hablará del trabajo de fin de curso. .... J E
6. Dice que la profesora alguna vez no ha permitido entrar a alguien en clase. .... J E

13a 🔊 Vuelve a escuchar y escribe la forma en que se dicen los siguientes verbos.

[7]
1. rogar ▸ ....   5. hablar ▸ ....   9. llegar ▸ ....
2. ser ▸ *seamos*   6. entender ▸ ....   10. estudiar ▸ ....
3. esperar ▸ ....   7. entrar ▸ ....   11. poner ▸ ....
4. poner ▸ ....   8. pedir ▸ ....   12. suspender ▸ ....

Cultura

14 Completa el texto sobre el profesor o la profesora ideal con los verbos del recuadro en la forma correcta.

| aplicar | permitir | disfrutar | generar | ser | escuchar | llevar | incorporar |

Lo que esperamos es que esta persona [1] .... de su trabajo, que [2] .... creativa, que [3] .... materiales nuevos, que [4] .... en la clase metodologías diferentes y las nuevas tecnologías y que [5] .... la clase a espacios diferentes. También queremos que nos [6] .... cuando hablamos, que nos [7] .... opinar y que [8] .... un ambiente de confianza y participación.

14a Escribe un texto de unas cincuenta palabras sobre cómo crees que debe ser el profesor o la profesora ideal.

Espero que esta persona ....
....
....
....
....

15 Escucha y completa con la información que falta.

[8]

En la región de América Latina y el Caribe, aunque todavía se presentan algunas carencias, en los últimos años los sistemas educativos han podido cubrir buena parte de las necesidades de la población y los resultados se están viendo. Por ejemplo, Colombia participó en las pruebas Pisa en el año 2012 [1] .... Luego, en 2015, obtuvo un resultado de 416 puntos.

De acuerdo con otras cifras presentadas por los expertos, para 2030 América Latina tendrá un 96.6 % de cobertura [2] ...., y para 2042 se espera que la cobertura sea universal en este nivel. En cuanto a la educación media, para 2030 se espera que la región tenga [3] .... y que en 2066 sea total. Por último, en [4] ...., la cobertura será de un 72.7 % [5] .... y se calcula que alcanzará [6] .... Al mismo tiempo, un tema preocupante para la región es el de los maestros, [7] .... Los profesores de América Latina ganan menos que otros profesionales. Los docentes de preprimaria y primaria ganan el 76 % de lo que reciben otros profesionales o técnicos, mientras que los profesores de secundaria ganan el 88 % [8] ....

Adaptado de https://www.semana.com/educacion/articulo/informe-unesco-sobre-educacion-en-america-latina/542592

15a Lee el texto anterior y marca las afirmaciones verdaderas.

1. ☐ En el presente no hay carencias, se han cubierto las necesidades de la población.
2. ☐ Colombia, en tres años, mejoró sus resultados en las pruebas Pisa.
3. ☐ La cobertura en educación primaria será total a mediados de siglo.
4. ☐ La educación media superior no tendrá una cobertura universal en el siglo XXI.
5. ☐ Los profesores de secundaria ganan un 88 % más que los de primaria.

Palabras

1 Completa las frases con los verbos del recuadro en la forma correcta.

> dejar | reducir | reciclar | reparar | desperdiciar | reutilizar | tirar | alargar

1. Si cierras el grifo mientras te lavas los dientes, no .... tanta agua.
2. Si se te estropea un aparato, no lo ...., comprueba antes si se puede ....
3. Al salir de casa, asegúrate de que no te .... ningún aparato enchufado o en *stand-by*.
4. Hay que intentar .... la vida de los objetos y .... los dándoles nuevos usos.
5. Tan importante como .... la basura tirándola en el contenedor adecuado es .... los residuos.

2 Clasifica las palabras en su lugar correspondiente.

> lince ibérico | huracanes | deforestación | carbón | naturales | armadillo | eólica | fósiles | inundaciones
> tala de árboles | renovables | gas | oso polar | hombre | tsunamis | extinción | solar | generación de residuos
> deshielo | ola de calor | petróleo | calentamiento global | consumismo | colibrí | cambio climático

Animales en peligro de ....

Acción del ....

vertidos tóxicos

Energías ....

biomasa

Desastres ....

sequía

Consecuencias

Energías ....

3 Relaciona de forma lógica. Sigue el ejemplo.

1. Reducir	masivo	natural.
2. Cultivo	el consumo	de basura.
3. Pérdida	las emisiones	de alimentos.
4. Apostar por	selectiva	climático.
5. Recogida	el cambio	responsable.
6. Luchar contra	del hábitat	de dióxido de carbono.

4 Observa la secuencia y escribe tú otras dos según la ley de causa y efecto.

1. Uso de vehículos contaminantes en las ciudades ❯ emisión de gases de efecto invernadero ❯ calentamiento global ❯ deshielo en los glaciares ❯ aumento del nivel del mar.

2. ....

3. ....

5 Completa la tabla.

Verbo	Sustantivo	Participio	Verbo	Sustantivo	Participio
1.	la contaminación		5. extinguirse		
2. reciclar			6.		reducido/a
3.		reutilizado/a	7.		talado/a
4.	el ahorro		8. deforestar		

6 Escucha las noticias e indica el orden en el que se mencionan los temas representados en las imágenes.

[9]

6a Completa ahora las noticias con las palabras que faltan. Después escucha de nuevo y comprueba tus respuestas.

[9]

El Gobierno destina 100 millones para fomentar el uso del coche [1] .... y la movilidad sostenible

Las ayudas podrán llegar hasta los 5500 euros.

El plan también incluye el apoyo al alquiler de [2] .... eléctricas, la conversión de carriles convencionales en carriles [3] .... o ayudas al [4] .... público.

Con estas medidas se pretende [5] .... el uso de [6] .... contaminantes, principales responsables de las emisiones de gases de [7] ....

Estado de emergencia por el vertido de 21 000 toneladas de [8] .... en el Ártico

El derrame se produjo a causa de un accidente en la central termoeléctrica de Norilsk y podría ser el mayor [9] .... de petróleo registrado en la zona.

Empresas y entidades federales trabajan en las labores de [10] .... del desastre [11] .... cuyos daños tardarán una década en ser reparados. Mientras, drones y helicópteros supervisan la enorme mancha que [12] .... en la superficie del [13] ....

América Latina concentra la mayor [14] .... de 2019

Datos demoledores colocan a cinco países de América Latina al margen de los esfuerzos globales por [15] .... el medioambiente. A Brasil, que encabeza la lista, le siguen Bolivia, Perú, Colombia y México que, en total, perdieron 11.9 millones de hectáreas de [16] .... en 2019. La pérdida de esta masa forestal se debe en gran parte a los numerosos [17] .... y a la [18] .... de árboles para actividades de [19] .... intensiva.

7 Relaciona de forma lógica los siguientes comentarios y luego elige la opción correcta.

1. ☐ Creo que no [1] **podemos/podamos** seguir dependiendo tanto de las energías fósiles y que [2] **tenemos/tengamos** que buscar otras fuentes de energía alternativas más limpias, como la energía eólica, por ejemplo.

2. ☐ ¿No crees que [3] **es/sea** una buena idea que las empresas faciliten el teletrabajo? Yo, la verdad, creo que [4] **trabajo/trabaje** mejor en mi casa, me concentro más, me distraigo menos, y además me ahorro el tiempo que pierdo en desplazarme.

3. ☐ A mí me parece que [5] **es/sea** urgente que reduzcamos el impacto ambiental en el planeta. Y no creo que esto [6] **depende/dependa** principalmente de los Gobiernos. Yo pienso que eso [7] **tiene/tenga** que salir de nosotros. Todos somos responsables de nuestra huella ecológica.

a. Sí, a mí también me parece que [8] **tiene/tenga** muchas ventajas, pero piensa que no siempre se [9] **puede/pueda** hacer, depende del tipo de trabajo, del día… Además, no creas que todas las empresas [10] **están/estén** dispuestas a implantarlo. Yo opino que [11] **es/sea** el Gobierno el que debería crear leyes que lo regulen y lo incentiven.

b. Pues yo opino que los Gobiernos sí [12] **tienen/tengan** mucho que hacer en este sentido. Yo, por ejemplo, iría en bici al trabajo, que no contamina, pero tal y como está el tráfico, me da miedo. ¿No piensas que [13] **son/sean** precisamente los políticos los que tienen que incentivar su uso habilitando carriles bici que garanticen la seguridad?

c. Supongo que [14] **tienes/tengas** razón, pero no me parece que las energías limpias [15] **son/sean** la única alternativa. Para fabricar coches eléctricos o construir aerogeneradores, por ejemplo, se necesitan otros minerales que también pueden agotarse. ¿No crees que [16] **debemos/debamos** apostar por un modelo de sociedad que exija menos recursos?

7a Escribe una frase para expresar tu opinión sobre los temas anteriores utilizando las siguientes estructuras.

- Pienso que no... ....
- No creo que... ....
- No pienso que... ....
- Me parece que... ....
- No me parece que... ....
- Creo que... ....

8 🔊 Observa las imágenes. ¿Sabes qué iniciativas o fenómenos representan? Escucha las intervenciones, relaciona cada una con su imagen y escribe, después, de qué se habla en cada caso.
[10]

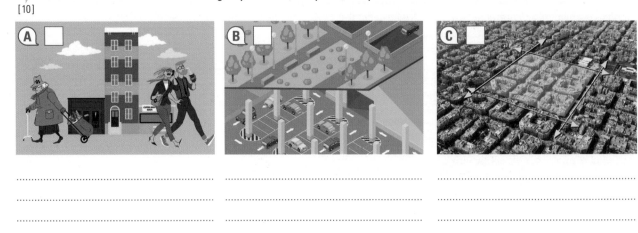

A ☐   B ☐   C ☐

....
....
....

8a

Vecinos, asociaciones y comerciantes han dado su opinión sobre estos temas. Completa las frases con los verbos del recuadro en la forma correcta e indica a cuál de los tres temas se refieren (A, B o C).

> poder | prohibir | habilitar | haber | intentar | permitir | modernizarse | apostar | abrir

1. ☐ Es un escándalo que los Gobiernos .... que se especule con el precio de la vivienda. ¿Cuántos edificios comprados por fondos de inversión son ahora apartamentos turísticos?

2. ☐ Me parece una idea genial .... más zonas para los niños, los peatones y las bicis. Necesitamos una ciudad más limpia, ¡estamos hartos de tragar humo!

3. ☐ Está bien que las ciudades .... y que se .... nuevas tiendas y comercios, pero es necesario también que .... un equilibrio, un control. Paseas por el centro y es como estar en cualquier otra ciudad europea, ¡todas las tiendas y locales son iguales!

4. ☐ A mí no me parece lógico .... a los autobuses circular por la zona; hay que pensar también en las personas mayores o en las que tienen problemas de movilidad y que necesitan tener una parada cerca.

5. ☐ Es absurdo que nos .... convencer de que necesitamos más plazas de garaje en el barrio. Los residentes ya tenemos aparcamientos de sobra, está claro que el interés es otro…

6. ☐ Pues a mí no me parece mal .... por iniciativas que traigan más prosperidad al barrio. Creo que todos ganamos: los restaurantes, los comercios…, y es normal que la gente .... aparcar el coche en algún sitio cuando venga.

9

Lee el texto y escribe los verbos entre paréntesis en la forma correcta.

La hora del planeta nació en Sidney en 2007 como un gesto simbólico para llamar la atención sobre el problema del cambio climático. Es obvio que, más de una década después, su cometido [1] .... (tener) más sentido que nunca.

Pero ¿en qué consiste esta iniciativa? En apagar las luces de hogares, negocios, edificios y monumentos durante una hora. Es verdad que a simple vista [2] .... (poder) parecer una acción insignificante, pero este sencillo gesto supone una toma de conciencia y una voz de alarma que une a ciudadanos, empresas, ayuntamientos e instituciones en la misma lucha contra el cambio climático y la pérdida de la biodiversidad.

Porque está visto que [3] .... (depender, nosotros) de la naturaleza para vivir, desde el aire que respiramos hasta el agua que bebemos y los alimentos que comemos, pero todavía no está tan claro que [4] .... (ser, nosotros) conscientes del vínculo fundamental entre la naturaleza, el clima y las personas, ni parece evidente que [5] .... (entender, nosotros) que lo que hacemos en una parte del planeta afecta irremediablemente a otras.

En el actual contexto de emergencia planetaria, es indiscutible que [6] .... (deber, nosotros) actuar y exigir a los líderes políticos un compromiso internacional para detener y revertir la situación, entendiendo que, para ello, la naturaleza es nuestra mejor aliada.

La ciencia es clara, el tiempo se acaba: quedan diez años para evitar los peores impactos del cambio climático. Es ahora o nunca; hay que actuar antes de que sea tarde.

Adaptado de https://www.horadelplaneta.es/morse-la-naturaleza-desde-las-ventanas-mensaje-esperanza-la-hora-del-planeta/

10 Selecciona la opción correcta en cada caso y escribe tus propios ejemplos.

- Los verbos de **pensamiento** como *pensar, creer* y *parecer* se construyen con *que* + [1] indicativo/subjuntivo/infinitivo cuando son afirmativos, y con [2] indicativo/subjuntivo/infinitivo si van en forma negativa:

  Ejemplo: ....

  Si el verbo de la oración principal va en imperativo negativo o es una pregunta, se usa [3] indicativo/subjuntivo/infinitivo en la oración subordinada:

  Ejemplo: ....

- Para **valorar un hecho** de manera **general**, usamos estructuras como:
  - *(No) Es/Me parece* + adjetivo o sustantivo valorativo o *Está/Me parece* + *bien/mal* + [4] indicativo/subjuntivo/ infinitivo

    Ejemplo: ....

  Para **valorar un hecho personalizando**, usamos estructuras como:
  - *(No) Es/Me parece* + adjetivo o sustantivo valorativo o *Está/Me parece* + *bien/mal* + *que* + [5] indicativo/ subjuntivo/infinitivo

    Ejemplo: ....

- Cuando queremos dar nuestra opinión expresando **certeza**, usamos estructuras como:
  - *Es cierto/obvio/verdad/evidente/indiscutible…* o *Está visto/demostrado/claro…* + *que* + [6] indicativo/ subjuntivo/infinitivo

    Ejemplo: ....

  Estas estructuras se construyen con [7] indicativo/subjuntivo/infinitivo cuando van en forma negativa:

  Ejemplo: ....

11 Indica si las siguientes frases son correctas o incorrectas y corrige los errores.

1. Es una suerte que podemos reunirnos este fin de semana para celebrar el cumpleaños de Luis. .... C I
2. Es evidente que tenemos que pensar un poco antes de comprar productos que igual no necesitamos. .... C I
3. Es muy bien que se penalice de algún modo a las empresas que más contaminan. .... C I
4. ¿Nos vamos ya o seguimos esperando? Por la hora que es, no parece que van a venir. .... C I
5. No creas que no lo he pensado ya, pero es que esa solución no me convence del todo. .... C I
6. No está tan claro que nos dejan entrar sin confirmar previamente la asistencia, yo me aseguraría. .... C I
7. Me parece una tontería que tengamos que reunirnos todos, si a algunos no nos afecta la medida. .... C I
8. ¿No te parece que Sergio esté un poco raro últimamente? Creo que se haya enfadado… .... C I

12 Expresa tu opinión en tu cuaderno sobre estos temas utilizando las estructuras que has aprendido.

- Las compañías aéreas de bajo coste.
- Los centros comerciales.
- Las plataformas de alquileres como Airbnb.
- El consumo de carne.

Cultura

13 Clasifica la siguiente información junto al paraíso en peligro al que se refiere.

1. Atraviesa tres países: Perú, Colombia y Brasil.
2. El aumento de la temperatura y la emisión de gases de efecto invernadero son sus principales amenazas.
3. La zona que recorre es conocida como el pulmón del planeta.
4. Se agrupan en los bosques de oyamel.
5. La velocidad a la que se derrite es alarmante.
6. Su hábitat ha sido declarado Reserva de la Biosfera por la Unesco.

Mariposas monarca

Glaciar Perito Moreno

Río Amazonas

14 Marca verdadero o falso. Después corrige la información falsa.

1. Las mariposas monarca viajan cada año desde Canadá hasta Yucatán, en México. .... V F
2. El Amazonas constituye las dos terceras partes del agua dulce del planeta. .... V F
3. El 80 % de la extensión de la Patagonia está afectada por el calentamiento. .... V F
4. La principal amenaza de las mariposas monarca son la agricultura y la deforestación. .... V F
5. En la Patagonia ya han desaparecido decenas de glaciares. .... V F
6. Las principales amenazas de la Amazonia son el turismo y la industrialización de la zona. ... V F

15 Lee el texto y ordena los fragmentos.

Otros paraísos en peligro

a. ☐ la mayor cantidad de especies amenazadas. Ecuador es el país sudamericano con mayor cantidad de vertebrados en peligro crítico de extinción (340), seguido por Brasil (154) y Colombia (132), según

b. ☐ El manatí del Caribe o la vaquita marina, cetáceo del Golfo de California, se encuentran entre las especies en estado vulnerable; el tapir y la iguana rinoceronte, en peligro de extinción; mientras que la rana gigante del Titicaca, junto al jaguar o yaguareté, pertenece a las especies amenazadas en estado crítico.

c. ☐ –la selva tropical del Amazonas–, sino también seis de los países con más biodiversidad de la Tierra: Brasil, Colombia, Ecuador, México, Perú y Venezuela. Pero al mismo tiempo también tienen

d. ☐ La región de América Latina y el Caribe concentra cerca del 60 % de la vida terrestre del planeta, según datos del Programa de la ONU para el Medio Ambiente (PNUMA). No solo está aquí el hábitat con mayor biodiversidad del mundo

e. ☐ El Cocodrilo del Orinoco, el armadillo, la salamandra o la tortuga de Carey amplían la larga lista de estas especies, amenazadas principalmente por causas como el cambio climático, la destrucción de su hábitat, la contaminación y la caza y venta ilegal.

f. ☐ la Unión Internacional para la Conservación de la Naturaleza (IUCN). Las especies en situación más preocupante son catalogadas en la lista roja de la IUCN en tres categorías: vulnerable, en peligro o en estado crítico.

Adaptado de https://www.dw.com/es/biodiversidad-amenazada-en-am%C3%A9rica-latina/g-41096956

15a ¿Existen en tu país especies animales o vegetales amenazadas por el cambio climático? ¿Cuáles? ¿Por qué? Investiga y escribe lo que has averiguado en tu cuaderno.

Unidad 5 Para siempre

1 🔊 Escucha la descripción que hace Cristina de sus amigos y corrige los errores de la información siguiente.

[11]

1. Carmen es una persona seria, algo irresponsable aunque muy trabajadora. También es impaciente, generosa y un poco arrogante.

2. Antonio es gracioso, divertido y muy bromista. Es un chico muy seguro, con mucha confianza en sí mismo gracias a su simpatía.

3. Julia es muy introvertida, pero es fácil ganar su confianza. Además, es una chica agradable, interesante, creativa e inteligente.

4. José es simpático, extravertido y tan gracioso como Antonio. También es muy sociable y confiado, quizá más de lo que le conviene.

1a 🔊 Vuelve a escuchar y escribe las tres frases donde se suavizan defectos o aspectos negativos.

[11]

1. ....

2. ....

3. ....

2 Relaciona cada adjetivo con su significado.

1. serio/a	a. Que se cree superior a los demás.	
2. arrogante	b. Persona algo ingenua, que se fía siempre de los otros.	
3. generoso/a	c. Alguien que se relaciona fácilmente con la gente.	
4. gracioso/a	d. Que sonríe poco y no le gustan las bromas.	
5. agradable	e. Que ofrece o da lo que tiene.	
6. creativo/a	f. Persona con capacidad para imaginar e inventar.	
7. sociable	g. Alguien divertido, que hace reír.	
8. confiado/a	h. Que es de trato fácil y amable.	

3 Fíjate en la tabla de los prefijos con los que se forman los antónimos de algunos adjetivos y coloca los que están mal clasificados en su casilla correspondiente.

in-	im-	i-	des-
maduro/a responsable fiel agradecido/a	seguro/a paciente	honesto/a	confiado/a sociable agradable

3a Elige cinco adjetivos de la actividad anterior y escribe una frase con cada uno de ellos.

1. ....

2. ....

3. ....

4. ....

5. ....

4 Marca el uso correcto de la expresión *pecar de* + adjetivo. Luego escribe un ejemplo.

1. ☐ Indicar una cualidad especialmente negativa de alguien.
2. ☐ Indicar una cualidad que es positiva, pero que, en exceso, puede resultar negativa.
3. ☐ Suavizar los aspectos negativos y los defectos que tiene una persona.

Ejemplo: ....

5 Lee el texto y complétalo con los adjetivos del recuadro en la forma correcta.

tranquilo/a | sociable | sincero/a | alegre | trabajador/a | maduro/a | optimista | tímido/a
sensible | pesimista | orgulloso/a | responsable | inseguro/a | impaciente

Los ocho tipos de carácter del ser humano

La psicología ha determinado ocho tipos de carácter. Sus rasgos básicos son los siguientes:

1. Nervioso. Las personas con este carácter tienden a mostrar un alto nivel de actividad, son [1] .... y responsables. En general, suelen mostrarse [2] ...., por lo que resulta fácil relacionarse con ellas. Su carácter no suele ser triste, se presentan casi siempre [3] .... ante los demás.

2. Sentimental. Los individuos con este carácter son [4] ...., no se relacionan fácilmente. En ocasiones pueden llegar a parecer [5] .... y negativos. Además, les falta confianza en sus propias capacidades; son, por lo tanto, bastante [6] ....

3. Colérico. Las personas con carácter colérico no saben esperar, son [7] .... y muy [8] ...., pues se comprometen con todo lo que hacen. A veces son demasiado impetuosas.

4. Apasionado. Quienes tienen carácter apasionado destacan por su alta emocionalidad, son muy [9] .... Con frecuencia se muestran rencorosos y [10] ...., no perdonan fácilmente el daño que se les ha hecho.

5. Sanguíneo. Las personas con este carácter son [11] ...., muy positivas, así como cariñosas en sus relaciones con los demás.

6. Flemático. Los flemáticos son considerados los más equilibrados. Son reflexivos y sensatos, muy [12] .... por lo general; se muestran siempre tranquilos, raramente se alteran. Su estado de ánimo es constante, por lo que se adaptan con facilidad a entornos cambiantes.

7. Amorfo. Las personas con este carácter destacan por su excesiva despreocupación. Son impuntuales, perezosas para el trabajo e irresponsables; sin embargo, en sus relaciones son amables y [13] ...., es difícil que mientan.

8. Apático. El tipo apático tiene un estado constante de melancolía. Su pensamiento es convencional y carente de imaginación. Los apáticos son [14] ...., no se inquietan por nada, y suelen resultar dignos de confianza.

Adaptado de https://medicoplus.com/psicologia/tipos-de-caracter

6 Relaciona cada frase con la reacción adecuada.

1. En el examen me salió el único tema que me sabía.
2. ¡Vamos a tener un hijo!
3. Se me ha inundado toda la cocina.
4. Tengo que terminar el informe antes de cinco minutos.
5. La conferencia duró dos horas y no fue nada interesante.
6. Un coche estuvo a punto de atropellar a mi perro.
7. Ayer me encontré con Amelia en el metro.

a. ¡Qué noticia!
b. ¡Qué estrés!
c. ¡Qué casualidad!
d. ¡Qué susto!
e. ¡Qué desastre!
f. ¡Qué aburrimiento!
g. ¡Qué suerte!

Gramática

7 Completa las frases escribiendo los verbos entre paréntesis en la forma correcta. Acuérdate de añadir los pronombres que sean necesarios.

1. A Eduardo no .... (gustar) que .... (hacer, tú) ruido cuando estudia.
2. .... (encantar, a nosotros) los cuadros que has colgado en el salón.
3. ¿No .... (interesar, a ti) que te .... (contratar, ellos) para todo el verano?
4. ¿............................. (Preferir, tú) que .... (poner, yo) otro tipo de aperitivo, algo más ligero?
5. No .... (gustar, a ti) nada .... (hablar, tú) con Juan, ¿pero qué te ha hecho?
6. A Marta .... (interesar) mucho .... (hacer, ella) ese curso.
7. A mi hija .... (encantar) que .... (ir, nosotras) al parque todas las tardes.

8 Escribe debajo de cada imagen una frase usando los verbos *gustar*, *encantar*, *interesar* y *preferir* e intensificadores como *muchísimo*, *bastante*, *no… nada*, *demasiado*, etc.

....

....

9 Marca las frases en las que el verbo funciona como el verbo *gustar*.

1. ☐ ¡Me alegro mucho de que vengas a la excursión!
2. ☐ Me molesta que me hables así.
3. ☐ ¿No te aburre que los chicos estén todo el día protestando?
4. ☐ Odio que llueva todos los días.
5. ☐ Nos enfada que nuestros padres no nos escuchen.
6. ☐ Sentimos mucho que les vaya mal en el instituto.

10 Completa las frases con el verbo adecuado añadiendo los pronombres que sean necesarios.

1. Esta película a mí .... mucho, es lentísima y demasiado larga.
2. A los padres de Ernesto .... que siga en el paro y no encuentre trabajo.
3. A Luis .... que Sofía cante tan bien. No la había oído nunca.
4. ¿............................. dejarme el cargador de tu móvil? Es que estoy casi sin batería.
5. Si a ustedes .... que ponga la música tan alta, díganmelo y la bajo.
6. A todas nosotras .... mucho su visita, es un verdadero placer.
7. ¿A ti no .... que haya tanta corrupción en la política? Porque a mí mucho.
8. A mi madre .... mucho que llegue demasiado tarde a casa los fines de semana.

11 Lee la información sobre estos seis compañeros de trabajo y luego completa las frases eligiendo la opción verbal correcta.

Es muy tranquilo, odia el ruido, necesita mucho silencio para trabajar. También es muy desordenado; en su escritorio es difícil encontrar algo. Alberto odia el fútbol, prefiere hablar de política durante la pausa para la comida. Es algo impuntual.
Alberto

Le interesa mucho el *feng-shui* y se pasa el día cambiando cosas de sitio en la oficina para conseguir que haya buena energía. Blanca es una apasionada del fútbol, la política le aburre. Además es vegana y a menudo prepara comida para sus compañeros.
Blanca

Es un fanático de los videojuegos. A veces incluso juega en la oficina. También le gusta mucho el fútbol y discutir sobre los partidos con Blanca. Jorge siempre sale a comprar comida rápida para tomar en la oficina: sándwiches de máquina, hamburguesas…
Jorge

Le encanta escuchar música con los auriculares mientras trabaja, pero la pone tan alta que se oye un poco en toda la oficina. Está muy concienciada con la protección del medioambiente y recicla todo el material de oficina posible. A Laura le interesa mucho la política.
Laura

Está obsesionado con el orden. No soporta ver nada fuera de su sitio. Además, es una persona muy puntual y no le gusta que los demás no lo sean. Ernesto usa demasiado papel y nunca recicla nada. Actualmente está haciendo una dieta a base de verdura y pescado blanco.
Ernesto

Es la jefa del departamento y debe controlar lo que hacen los demás. Sofía es responsable también de que cada cosa esté en su sitio y de que nunca falte de nada. No le gusta que calienten pescado a la hora de comer porque dice que luego huele mal toda la oficina.
Sofía

1. A Alberto le **da/pone** mucha rabia que Laura ....
2. A Alberto le **da/pone** nervioso que Blanca y Jorge ....
3. A Blanca le **da/pone** de mal humor que Alberto ....
4. A Blanca le **da/pone** pena que Jorge ....
5. A Laura le **da/pone** furiosa que Ernesto .... y que ....
6. A Laura le **da/pone** contenta que Alberto ....
7. A Ernesto le **da/pone** rabia que Alberto .... y que ....
8. A Sofía le **da/pone** furiosa que Jorge ....
9. A Ernesto y a Sofía les **da/pone** nerviosos que Blanca ....
10. A Sofía le **da/pone** de muy mal humor que Ernesto ....

12 Lee las frases y complétalas usando expresiones con *dar* y *poner* sin repetir ninguna.

1. .... que haya tanta gente que no tiene lo necesario para vivir.
2. La gente que habla sin pensar ....
3. .... que abandonen a los perros.
4. .... lo que piensen los demás.
5. Las enfermedades ....
6. Tomar mucho café ....
7. .... que los cubiertos estén sucios.

13 Responde en tu cuaderno a las siguientes preguntas.

¿Qué te alegra especialmente?   ¿Qué no soportas de los otros?   ¿Qué temes?

¿Qué no aguantas de ti mismo/a?   ¿Qué lamentas?   ¿Qué odias de tu ciudad?

14 Completa las frases escribiendo los verbos entre paréntesis en la forma correcta.

1. Necesitamos un armario que .... (ser) más ancho que este.
2. En la oficina hay una becaria que .... (hablar) cinco idiomas.
3. ¿Hay alguien que .... (poder) decirme para qué sirve este aparato?
4. No hay quien .... (entender) este manual de instrucciones.
5. Busco un periódico que .... (estar) en francés, lo vi el otro día por aquí.
6. ¿No tienes unas tijeras que .... (cortar) mejor que estas?
7. No he conocido nunca a nadie que .... (medir) más de dos metros.
8. ¿Me podéis decir las fotos que os .... (gustar) más?

14a Fíjate en las frases de la actividad anterior y completa la regla. Añade algún ejemplo de esa misma actividad.

- Cuando el antecedente es conocido, real, las oraciones de relativo se construyen con [1] ....:
  Ejemplo: ....
- Cuando el antecedente es desconocido, preguntamos por su existencia o la negamos, estas oraciones se construyen con [2] ....:
  Ejemplo: ....

15 🔊 Lee estos anuncios de viviendas en alquiler. Luego escucha los mensajes de las personas interesadas y decide qué vivienda es la más adecuada para cada una de ellas.
[12]

a. ☐ Habitación en piso compartido, muy céntrico. La habitación disponible es muy amplia, tiene un armario empotrado y baño propio. Posibilidad de plaza de garaje.
300 €/mes

d. ☐ Piso de dos dormitorios, amueblado y bien comunicado, con amplia terraza, situado en una urbanización con zonas ajardinadas y piscina.
1000 €/mes

b. ☐ Casa de dos plantas con tres dormitorios, dos baños, jardín y plaza de garaje. Muy cerca de la estación de autobuses, a media hora de la capital. Sin amueblar.
1200 €/mes

e. ☐ Estudio cerca de zona universitaria. Baño y cocina completa. Dispone de calefacción y de aire acondicionado. Amueblado y con mucha luz.
600 €/mes

c. ☐ Apartamento amueblado en el centro. Un dormitorio, baño y cocina completamente equipada. Muy moderno y luminoso, tiene terraza. Con plaza de garaje.
800 €/mes

f. ☐ Ático con dos dormitorios, dos baños y una amplia terraza. Completamente amueblado, a diez minutos del centro.
900 €/mes

15a Escribe en tu cuaderno un texto de unas ochenta palabras describiendo tu casa ideal.

16 Marca las afirmaciones correctas acerca de la arquitectura modernista.

1. ☐ Tiene su origen a principios del siglo xx.
2. ☐ Su nombre expresa la idea de innovación y futuro.
3. ☐ El modernismo catalán es uno de los más importantes del mundo.
4. ☐ La principal característica del modernismo catalán es el gusto por las formas clásicas.
5. ☐ Se cuidan todos los detalles de la decoración, no solo los aspectos arquitectónicos.
6. ☐ La Sagrada Familia de Barcelona se empezó a construir a finales del siglo xix.
7. ☐ Otra construcción importante de Gaudí es el Palau de la Música.
8. ☐ El Palau de la Música es la única sala de conciertos declarada Patrimonio Mundial por la Unesco.

Lleó Morera

17 En Barcelona se encuentran tres de los más famosos edificios modernistas del mundo. Relaciona las frases con cada uno de ellos. Ten en cuenta que puede haber más de una opción válida.

Amatller

	Casa Lleó Morera	Casa Amatller	Casa Batlló
1. Es obra de Antoni Gaudí.	☐	☐	☐
2. Destaca por el mobiliario y las lámparas.	☐	☐	☐
3. Está en el paseo de Gracia de Barcelona.	☐	☐	☐
4. Sus vidrieras de colores son sobresalientes.	☐	☐	☐
5. Contribuyó a modernizar Barcelona.	☐	☐	☐
6. Destaca por la riqueza ornamental de la fachada.	☐	☐	☐

Batlló

18 Ordena las partes de este texto para saber más sobre la Sagrada Familia.

Siete curiosidades sobre la Sagrada Familia

a. ☐ La Sagrada Familia es uno de los monumentos más espectaculares del mundo. En torno a esta basílica diseñada por Antoni Gaudí hay multitud de curiosidades que no todo el mundo conoce. ¿Sabes cuáles son? Aquí te revelamos algunas: Gaudí preveía que no terminaría

b. ☐ las más bajas, representan a los apóstoles, las cuatro posteriores a los evangelistas, la siguiente a la Virgen María y la más alta a Jesucristo. En la denominada fachada de la Pasión hay una especie de *sudoku* cuyos números

c. ☐ El taller donde Gaudí había trabajado toda su vida ardió. Otra curiosidad es que cuando las obras terminen, tendrá una altura de 172.5 metros de altura, se convertirá así en

d. ☐ el proyecto. Pasó sus últimos quince años viviendo en el interior de la iglesia mientras trabajaba en ella. Dejó planos, indicaciones y bocetos para que fuese terminada posteriormente.

e. ☐ el edificio más alto de Barcelona. Las dieciocho torres de la Sagrada Familia simbolizan a diferentes figuras de la religión cristiana: doce de ellas,

f. ☐ en todas las filas y columnas suman siempre 33, la edad a la que murió Jesucristo. Una cosa más: ¿sabías que en el interior del templo no hay nada diseñado con líneas rectas con el propósito de imitar a la naturaleza?

g. ☐ La fachada del Nacimiento fue la única parte finalizada mientras Gaudí aún seguía con vida. A comienzos de la guerra civil española, parte de la Sagrada Familia fue incendiada.

Adaptado de https://cronicaglobal.elespanol.com/creacion/siete-curiosidades-sagrada-familia_132881_102.html

Unidad 6 Esta es mi generación

Palabras

1 Ordena cronológicamente las etapas de la vida.

☐ madurez   ☐ adolescencia   ☐ infancia   ☐ tercera edad o vejez   ☐ juventud

1a ¿En qué etapa de la vida te encuentras tú? Describe brevemente cómo es.

....

....

1b Relaciona las diferentes edades con sus características correspondientes según tu opinión.

a. experiencia y bienestar general
b. mayor capacidad de aprendizaje
1. entre los 7 y los 15 años   c. máximo rendimiento laboral
2. entre los 20 y los 30 años   d. mayores ingresos
3. entre los 30 y los 40 años   e. plenitud de la memoria
4. entre los 40 y los 60 años   f. mayor atractivo físico
5. después de los 60 años   g. óptimo rendimiento deportivo
                                     h. auge de la creatividad

1c Lee el texto, complétalo con las palabras de la actividad 1a y comprueba tu respuesta anterior.

¿Cuál es la mejor edad de la vida?

Todo comienza a los 40, dicen algunos. Los 60 son los nuevos 40, dicen otros. Pero lo cierto es que cada aspecto de la vida alcanza su plenitud en las diferentes etapas de la vida. La capacidad de aprendizaje es lo primero que destaca; llega a su máximo nivel en la [1] .... y la [2] ...., entre los 7 y los 15 años. La memoria alcanza su mayor desarrollo en torno a los 20 años, durante la [3] .... En esta década se produce el máximo rendimiento deportivo.

A los 30 años se empieza a perder fuerza y resistencia, pero, a cambio, esta década trae consigo el momento de mayor atractivo físico y también el de mayor rendimiento laboral.

Si empiezas a sentir que lo mejor va quedando atrás, te alegrará saber que entre los 40 y los 60 se llega a la [4] .... en muchos aspectos importantes. El momento de mayor creatividad llega alrededor de los 40. Los más grandes compositores y pintores realizaron sus principales obras a esa edad. Es la etapa, además, en la que alcanzamos nuestra mejor versión para relacionarnos socialmente y, además, es cuando se generan los mayores ingresos.

Podría parecer que para después de los 60 no queda mucho en lo que destacar y, sin embargo, falta lo más importante. A esta edad se produce la culminación de todo lo que hicimos anteriormente; además acumulamos una experiencia de vida que nos hace estar satisfechos con nosotros mismos y gozar de bienestar general. Los 60 no son los nuevos 40, la [5] .... es el momento de cosechar todo lo sembrado previamente y de disfrutar, mucho más que a los 40, de ser quienes somos y de estar donde estamos.

Adaptado de https://www.lanacion.com.ar/lifestyle/cual-es-la-mejor-edad-de-la-vida-nid2052320

1d ¿Qué significa que los 60 son los nuevos 40? ¿Estás de acuerdo?

....

....

2 Completa los diálogos con los verbos del recuadro en la forma adecuada.

contraer | firmar | ahorrar | jubilarse | hacer | casarse | estar | encontrar | tener | estudiar

Diálogo 1
▶ ¿Qué carrera .... Raúl?
▷ Farmacia. La ha terminado ya, ahora está .... las prácticas.

Diálogo 3
▶ ¿............................... en paro todavía?
▷ No, ... trabajo la semana pasada, aunque todavía no .... el contrato.

Diálogo 2
▶ Estamos .... dinero para la boda.
▷ ¿............................... por la iglesia?
▶ Aún no lo sabemos…
▷ ¿Y queréis .... hijos?
▶ No lo hemos pensado. Es demasiado pronto.

Diálogo 4
▶ Cuando compré la casa, ... una deuda a pagar en 30 años, hasta que cumpla 65.
▷ O sea, que terminas de pagar tu casa cuando ....
▶ Pues sí…

3 Escribe en tu cuaderno una autobiografía (real o inventada) en la que incluyas algunas de estas acciones en el tiempo adecuado.

- nacer
- ir al colegio
- ir de campamento
- ir a la universidad
- graduarse
- hacer un curso en el extranjero
- empezar a trabajar
- independizarse
- compartir piso
- cambiar de trabajo
- tener pareja
- casarse
- comprar una casa
- tener hijos
- jubilarse

4 Relaciona las carreras universitarias del recuadro con su imagen correspondiente.

Telecomunicaciones | Derecho | Periodismo | Enfermería | Fisioterapia | Urbanismo

5 Clasifica cada nexo temporal en la tabla según lo que expresa. Recuerda que algunos pueden tener más de un valor temporal.

cuando | mientras en cuanto | siempre que al | hasta que nada más | antes de cada vez que desde que | después de	Simultaneidad	Anterioridad	Posterioridad	Inicio y límite temporal

5a Completa las frases con algunos de los nexos de la actividad anterior.

1. .... yo escribía unos correos, Alberto preparaba la cena.
2. Le esperaremos .... llegue, tenemos que hablar con él.
3. .... ir a la facultad voy al gimnasio; .... las clases vuelvo a casa.
4. .... llegar a la oficina, llamé al cliente para explicarle lo que había pasado.
5. .... se jubiló, se fue a vivir al campo, ¡el mismo día!
6. No la reconocí .... se puso a mi lado.
7. .... tuvieron al niño, apenas nos vemos, están siempre muy ocupados.

6 🔊 Escucha la conversación y ordena cronológicamente las acciones que muestran las imágenes.

[13]

 Ⓐ
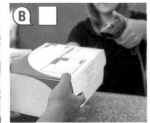 Ⓑ
 Ⓒ
 Ⓓ
 Ⓔ
 Ⓕ
 Ⓖ
 Ⓗ

6a 🔊 Escucha de nuevo, completa el cuadro de gramática y añade ejemplos de la audición.

[13]

- Con *cuando, siempre que, cada vez que, hasta que, desde que* y *en cuanto* se usa [1] .... en presente y pasado:
  Ejemplo: [2] ....
- Todos estos nexos temporales se construyen con [3] .... para expresar futuro:
  Ejemplo: [4] ....
- Con *antes de* y *después de* se utiliza el [5] .... cuando el sujeto de las oraciones es el mismo y el [6] .... si son diferentes:
  Ejemplo: [7] ....
  Ejemplo: [8] ....

7 Lee esta entrevista a una actriz y escribe los verbos entre paréntesis en la forma correcta.

▶ ¿Cuándo [1] .... (saber, tú) que querías ser actriz?

▷ Desde que [2] .... (ser) niña, siempre [3] .... (querer) dedicarme a la interpretación. A los 16 años, cuando [4] .... (estar) en el instituto, formé mi primer grupo de teatro y desde entonces no [5] .... (hacer) otra cosa. Bueno…, sí…, mientras [6] .... (hacer) teatro, también estudiaba, claro.

▶ ¿En qué estás trabajando en este momento?

▷ Ahora [7] .... (tener) un papel muy bonito en una nueva serie y, además, cada noche [8] .... (actuar) en el teatro Victoria; así que, imagínate, cuando [9] .... (llegar) a casa medianoche, estoy agotada.

▶ Cuando [10] .... (terminar, tú) estos trabajos, ¿qué proyectos tienes?

▷ Solo uno… En cuanto [11] .... (acabar, yo), [12] .... (irse) de vacaciones unos días con mi hija. No [13] .... (hacer, yo) nada nuevo hasta que no me [14] .... (ofrecer, ellos) algo realmente interesante. Mientras, [15] .... (estudiar, yo) para perfeccionar mi inglés.

▶ Por cierto, ¿tu hija también quiere ser actriz?

▷ Todavía es muy pequeña, cuando [16] .... (ser) algo mayor, [17] .... (poder, ella) decidir, pero yo espero que no, porque este es un trabajo muy inestable.

8 Completa libremente las frases.

1. Mañana cuando ....
2. Mientras hablábamos ....
3. Te llamé nada más ....
4. Nos veremos antes de que ....
5. Hemos salido después de ....
6. Lo compraré en cuanto ....
7. Cada vez que ....
8. No sé cuándo ....

9 Completa la tabla con la tercera persona del singular de cada verbo en el tiempo que se indica.

	Haber	Poder	Saber	Salir	Valer	Decir	Hacer	Tener
Futuro simple								
Condicional simple								

10 Relaciona cada uso del condicional simple con su ejemplo correspondiente.

1. Expresar posteridad respecto a un momento del pasado.
2. Hacer suposiciones sobre un hecho o situación del pasado.
3. Hacer peticiones con cortesía.
4. Hacer sugerencias.
5. Hablar de situaciones imaginarias.

a. ¿Te importaría cerrar la ventana?
b. Dijo que nos llamaría a las seis.
c. No deberías decírselo a la jefa.
d. Yo nunca me compraría una casa así.
e. Serían las diez cuando llegamos a casa.

10a Completa las frases con el condicional simple de los verbos entre paréntesis. Luego indica en cada una qué uso tiene el condicional siguiendo la numeración de los usos de la actividad anterior.

a. [3] ¿Les .... (gustar) salir esta noche a cenar con nosotros?

b. ☐ Yo que tú .... (volver) y le .... (poner) las cosas claras.

c. ☐ Prometió que .... (llamar) lo antes posible.

d. ☐ Seguro que no fueron al cumpleaños porque .... (tener) trabajo y .... (salir) tarde.

e. ☐ .... (Irse, yo) ahora mismo a una isla desierta, ¡qué harta estoy de todo!

f. ☐ ¿Os .... (importar) ayudarme a mover la mesa?

11 Transforma las frases de acuerdo con el verbo principal.

1. Saldré de casa a las diez. ❯ Juan dijo que ....
2. Lo harán Eva y Pedro. ❯ No sabía que ....
3. Marta se enfadará. ❯ Luis pensaba que ....
4. Silvia querrá venir también. ❯ Imaginábamos que ....
5. Eso no cabrá en la maleta. ❯ Lola suponía que ....

12 Fíjate en las situaciones de las imágenes y escribe una frase explicando qué supones que pasó.

....

....

13 Escribe en tu cuaderno qué harías en estas situaciones imaginarias.

1. Heredas un millón de euros.   2. Puedes viajar en el tiempo.   3. Eres presidente/a del Gobierno.

14 🔊 Escucha y completa las frases.

[14]

1. En la adolescencia .... son nuestros amigos.
2. Claro que la familia .... antes.
3. Cada vivencia ....
4. Cada chico o chica que conocemos .... del mundo.

5. Cada amor, aunque dure una semana, ...
6. La juventud es, ..., la que más determina nuestro futuro.
7. Comprendemos cuáles son las cosas ...., el tipo de relaciones ....

15 Fíjate en la imagen y completa las frases con las estructuras comparativas.

1. Luis y Ana son .... altos.
2. Eva es .... tiene el pelo más largo.
3. Luis es .... tiene el pelo más corto.
4. Eva es la más baja ....
5. Todos tienen menos .... 20 años.
6. Sara es .... más libros tiene .... los cuatro.
7. Eva es .... rubia .... todos.
8. Luis es .... simpático que Ana.

Cultura

16 Marca los nombres de los autores que forman parte de la generación del 27.

☐ Federico García Lorca   ☐ Dámaso Alonso   ☐ Jorge Guillén   ☐ Gerardo Diego
☐ Rafael Alberti   ☐ Gabriel García Márquez   ☐ Mario Vargas Llosa   ☐ Carlos Ruiz Zafón

17 Lee las siguientes afirmaciones sobre la generación del 27 y marca verdadero o falso.

1. En 1927 un grupo de poetas se reúne en Sevilla para conmemorar la muerte de Góngora. .... V F
2. Góngora era un escritor clásico del siglo xiv. .... V F
3. Muchos de los poetas eran amigos y estudiaban en la misma institución. .... V F
4. Todos vivían en la Residencia de Estudiantes de Madrid. .... V F
5. Eran muy innovadores y originales en sus creaciones artísticas. .... V F
6. No estaban muy preocupados por la realidad social y política del país. .... V F
7. Dalí no tuvo ninguna relación con esta generación de poetas. .... V F
8. Luis Buñuel fue un director de cine relacionado con la generación del 27. .... V F
9. García Lorca fue asesinado durante la guerra civil española. .... V F
10. Manuel de Falla era músico. .... V F

18 Lee el texto y complétalo con las palabras del recuadro.

| cine | escena | público | lógica | cineastas | estreno | película | mente | imagen | guion |

Un perro andaluz (Un chien andalou)

En *Un perro andaluz* no aparece ningún perro ni ningún andaluz. Buñuel tenía 29 años (fue su primera [1] ....) y Dalí, 25. Ambos decidieron hacer [2] .... experimental, surgido de lo más profundo del subconsciente. Buñuel declaró: "Escribimos el [3] .... en menos de una semana, siguiendo una regla muy simple: ninguna [4] .... debe tener una explicación racional, psicológica o cultural".

Efectivamente, todo en la película escapa a la [5] .... El guion plasmaba las primeras imágenes que les venían a la [6] .... a los dos jóvenes, entre ellas la famosa navaja cortando el ojo que produce rechazo y atracción al mismo tiempo.

Es fácil imaginar el desconcierto de la gente cuando vio la película en el [7] .... No solo por la [8] .... de la navaja, sino por otras tan comprometidas que, según se cuenta, por si el [9] .... se enfadaba, Buñuel se quedó tras el escenario armado con piedras para defenderse de una posible agresión.

El caso es que *Un perro andaluz* se convirtió en una indiscutible película de culto que marcó a muchos [10] .... y otros artistas posteriores, desde Magritte o Man Ray a David Lynch o los Pixies.

Adaptado de https://historia-arte.com/obras/un-perro-andaluz

18a Responde a las siguientes preguntas sobre el texto anterior.

1. ¿Por qué se dice que todo en la película escapa a la lógica? ....
2. ¿Qué muestra la escena más famosa de *Un perro andaluz*? ....
3. ¿Por qué Buñuel se armó con piedras el día del estreno? ....
4. ¿Por qué actualmente es una película de culto? ....

Unidad 7 Todo es noticia

Palabras

1 Escucha lo que han respondido algunas personas en una encuesta sobre los medios de comunicación. Primero escribe las preguntas. Después vuelve a escuchar y completa la tabla con las respuestas.

[15]

Cristina

Francisco

Julia

	Cristina	Francisco	Julia
Pregunta 1:			
Pregunta 2:			
Pregunta 3:			
Pregunta 4:			

1a Completa las frases que has escuchado en la encuesta con las palabras que faltan. Después escucha de nuevo y comprueba tu respuesta.

[15]

1. Estas son las respuestas que nos han dejado en el contestador algunos de nuestros ....
2. La verdad es que paso mucho tiempo sola y la .... me hace compañía.
3. También pongo música o .... de otro tipo, pero .... escucho muchas.
4. Me gusta mucho escuchar los .... políticos porque .... mejor de cómo están las cosas.
5. Yo, la verdad, es que sobre todo leo ....
6. La televisión para ver series y eso, sí, pero para ver .... nunca.
7. Lo que más me interesa es la .... para saber qué funciones de teatro hay.
8. El trabajo que más me interesa es el de .... o de teatro.
9. La .... es mucho más directa y necesita menos explicaciones.
10. El trabajo de los .... que acompañan a los .... seguro que es interesante.

1b Escribe en tu cuaderno tus respuestas a las preguntas de la encuesta.

2 Fíjate en las imágenes y escribe las dos palabras que faltan.

oyentes

....

....

3 Lee el texto y complétalo con las palabras del recuadro.

| plataformas | información | actualidad | rumores | estudio | confianza | medios |
| auge | impresos | usuarios | población | redes sociales | periódicos | liderato |

¿Qué medio de comunicación prefieren los españoles para informarse?

Los españoles cada vez confían menos en los [1] .... convencionales para informarse: la televisión, los [2] .... –digitales o impresos– y la radio se usan cada vez menos para mantenerse al tanto de la [3] .... Por el contrario, cada vez son más los españoles que utilizan las [4] .... para informarse. Lo curioso es que este [5] .... de las redes sociales se produce al tiempo que la confianza en este tipo de [6] .... también baja y, paradójicamente, son sus propios [7] .... los que las señalan como las mayores propagadoras de bulos y [8] ....

Si continúan así las tendencias, pronto serán las redes sociales la primera fuente de [9] .... en España. Según un estudio realizado por *Digital News Report*, la televisión aguanta de momento como el medio de referencia, al ser utilizado todavía por el 63 % de los encuestados, aunque pierde terreno, pues en el [10] .... del año pasado la televisión alcanzaba el 72 %. También pierden usuarios las webs de periódicos (el 39 %), los periódicos [11] .... (32 %) o las webs de televisiones y radios (36 %).

Una de las explicaciones del [12] .... de la televisión por encima de otro tipo de medio de comunicación está en la [13] .... que todavía inspira.

Únicamente suben en esta clasificación las redes sociales, elegidas ya por el 56 % de la [14] .... para informarse. Están, por tanto, cada vez más cerca de adelantar a la televisión como medio favorito. Aunque, si tenemos en cuenta la franja de edad, este hecho ya se ha producido: un 61 % de las personas que tienen entre 18 y 44 años las señalan como su medio predilecto para estar al día.

Adaptado de https://dircomfidencial.com/medios/
la-tv-sigue-siendo-el-medio-preferido-para-informarse-en-espana-aunque-las-redes-sociales-estan-cada-vez-mas-cerca-20200618-0405/

3a Lee las frases y luego subraya en el texto anterior las partes donde se da esta información.

1. Actualmente la televisión sigue siendo el medio más popular.
2. Con el tiempo, son menos las personas que siguen las noticias en los medios tradicionales de comunicación.
3. Quienes usan las redes sociales para informarse se fían cada vez menos de ellas.
4. El público se fía más de la televisión que de las redes sociales.
5. Las personas más jóvenes usan ya más las redes sociales que la televisión.

4 Relaciona las palabras y expresiones con su definición correspondiente.

1. titular	a. Persona que informa de meteorología.
2. televisión a la carta	b. Hecho o suceso de cierta importancia.
3. hombre/mujer del tiempo	c. Situación o tema que alcanza su máximo interés.
4. estar al rojo vivo	d. Que inspira confianza.
5. locutor/a	e. Parte de la noticia que resume lo más importante de la misma.
6. testimonio	f. Declaración que se hace sobre un hecho por haber sido testigo de él.
7. fiable	g. Persona que trabaja en la radio presentando un programa.
8. acontecimiento	h. Modalidad en la que se puede elegir qué programa ver y cuándo.

Gramática

5 Transforma la parte resaltada de las frases usando una perífrasis de infinitivo.

1. Mañana **me quedaré** en casa porque **vendrá** el fontanero para arreglar el fregadero.

....

2. **Es absolutamente necesario que hables** con tu jefa si quieres solucionar el problema.

....

3. Marta **ya no come** carne, se ha hecho vegetariana y está muy contenta.

....

4. No he visto aún a Enrique, no he tenido tiempo, **he llegado hace un instante**.

....

5. Estuve en Roma en 2010 y **fui otra vez** el año pasado, es que me encanta.

....

6. Coge el paraguas, mira cómo está el cielo, **va a llover en cualquier momento**.

....

6 Elige la opción correcta.

1. En Argentina en lugar de *acabo de llegar*, se dice…
   a. recién llego.
   b. terminé de llamarte.
   c. acabé llamándote.

2. En Argentina no dicen *estoy a punto de salir*, sino…
   a. estoy para salir.
   b. estoy por salir.
   c. estoy saliendo.

3. En España *estoy por acostarme* expresa…
   a. que estoy a punto de hacerlo.
   b. la intención de hacerlo.
   c. la necesidad de hacerlo.

4. La perífrasis *empezar a* + infinitivo indica…
   a. la continuidad de una acción.
   b. que la acción es reciente.
   c. el inicio de una acción.

7 Lee los diálogos y complétalos usando una perífrasis de gerundio con los verbos que hay entre paréntesis.

Diálogo 1
▶ ¿Qué .... (hacer)?
▷ Lo mismo que antes, ... (leer), quiero terminar el libro hoy.

Diálogo 3
▶ ¿Desde hace cuánto estás en este departamento?
▷ Pues .... (trabajar) aquí tres años.

Diálogo 2
▶ ¿Cómo te encuentras hoy? ¿Estás mejor?
▷ Bien, ... (mejorar) poco a poco, ya no me duele tanto la herida de la operación.

Diálogo 4
▶ ¿Se sabe algo de lo que se habló en la reunión?
▷ En la reunión nada nuevo, pero hay rumores: .... (decir) que van a despedir a gente.

8 Elige la opción correcta para completar el cuadro gramatical.

- Las perífrasis de gerundio son [1] **aspectuales/modales**, independientemente del tiempo en el que esté el verbo [2] **auxiliar/principal**; indican que la acción principal está [3] **terminada/en desarrollo**. La perífrasis de gerundio más común es [4] *estar/ir* + gerundio:

  Estoy comiendo.　　　　*Seguía viviendo allí.*　　　　*Con el tiempo, fuimos aprendiendo.*

- En los ejemplos anteriores el tiempo verbal es diferente, pero en todos ellos se presenta la acción [5] **terminada/en desarrollo**.

9 Lee la entrevista y subraya todas las perífrasis verbales que encuentres.

La ciudadanía necesita un plan de alfabetización digital

▶ ¿Qué opina usted, como profesor e investigador del Departamento de Periodismo y Nuevos Medios de la Universidad Complutense de Madrid, de los que señalan 2022 como el año en el que la gente empezará a recibir más noticias falsas[1] que verdaderas? ¿Lo cree posible?

▷ Los informes de distintas organizaciones consideran que, debido al volumen de noticias falsas, ya estamos a punto de no poder diferenciar entre lo que es mentira y lo que es verdad. Esta situación la llevamos viviendo ya algún tiempo, pero solo acaba de empezar.

▶ ¿Hay campos informativos más proclives a las noticias falsas?

▷ Sí, la política, obviamente, pero también la ciencia y la salud son unos campos muy fértiles para viralizar[2] bulos. Porque si ya los profesionales de la información a veces no contrastamos las noticias, menos probable es que lo haga una persona a la que le llega una información por WhatsApp de un contacto para ella creíble.

▶ ¿Qué pueden hacer los medios en este escenario de difusión de tanta información falsa?

▷ Los medios de comunicación están atravesando una fase en la que se cuestionan su propia existencia y se preguntan si seguirán trabajando bajo el modelo de periodismo del siglo pasado o bajo un modelo nuevo. En este sentido, los medios van renovándose en formatos y en tecnología, pero también tienen que innovar en la verificación de la información antes de difundirla.

▶ ¿Y la sociedad? ¿Está preparada para verificar la información que recibe?

▷ Si dentro del colectivo de periodistas echamos en falta la verificación, imagínese en sectores de la sociedad que no están vinculados profesionalmente al mundo de la información. La ciudadanía necesita un plan de alfabetización digital y de obtención de información de calidad en esta era digital, para que vuelva a sentir confianza hacia los medios de comunicación y sepa dónde encontrar información veraz y de calidad.

▶ ¿Es esperanzador el cambio en la profesión periodística que estamos viviendo?

▷ Por supuesto. Siempre digo que, si por un lado las tecnologías digitales han contaminado el ecosistema de la información, por otro, se convierten en oportunidades para nuestro sector, creando nuevos perfiles profesionales. Dejaremos de trabajar como antes; la tecnología que vamos a utilizar los periodistas mañana aún no se ha inventado, por lo que tenemos que estar siempre a la vanguardia.

Adaptado de Jesús M. Flores https://www.ucm.es/otri/noticias-las-fake-news-siempre-han-existido-pero-hoy-en-dia-se-han-visto-catapultadas-por-las-redes-sociales

[1] Aunque para referirse a las noticias falsas a menudo se usa el término inglés *fake*, la palabra española que mejor define esta idea es *bulo*.
[2] Usamos el verbo *viralizar* para expresar que un mensaje o contenido se hace viral, es decir, que se difunde exponencialmente.

9a Clasifica las perífrasis que has subrayado según su significado.

1. Indica necesidad u obligación. ▶ ....
2. Expresa futuro o intención. ▶ ....
3. Indica el comienzo de una acción. ▶ ....
4. Expresa la repetición de una acción. ▶ ....
5. Indica la interrupción o finalización de una acción. ▶ ....
6. Expresa la finalización reciente de una acción. ▶ ....
7. Indica el comienzo inminente de una acción. ▶ ....
8. Expresa el desarrollo de una acción en un momento preciso. ▶ ....
9. Indica una acción en desarrollo que comenzó anteriormente. ▶ ....
10. Expresa la duración de una acción desde su comienzo. ▶ ....
11. Indica una acción que se desarrolla progresivamente. ▶ ....

10 Completa las frases con los conectores del recuadro. En algunos casos hay varias opciones posibles.

| porque | como | ya que | por | dado que | a causa de |

1. Pues vete a casa, ... has terminado el trabajo.
2. No fui al teatro con ellas .... ya había visto esa función.
3. .... la fuerte nevada, han cerrado el aeropuerto y varias carreteras.
4. ....le dije que no me gustaba lo que había comprado, se enfadó conmigo.
5. Suspendió el examen .... copiar de una compañera.
6. .... ustedes no están de acuerdo, no firmaremos el contrato.

11 Fíjate en los pares de imágenes y escribe una oración causal. Usa un conector distinto en cada una de ellas.

1...

2...

3...

4...

12 Elige la opción correcta en cada caso. Luego escucha los diálogos y comprueba.

[16]

1. ▶ Oye, parece que mañana hará mal tiempo...
   ▷ Da igual, aunque **hará/haga** malo, iremos a dar una vuelta.

2. ▶ Ahora no puedo, estoy agotado...
   ▷ Aunque **estás/estés** cansado, tienes que ayudarme.

3. ▶ ¿Te vienes conmigo al cine?
   ▷ Vale, aunque a mí ese director no me **gusta/guste** mucho, la verdad.

4. ▶ Es muy bonito el coche que vas a comprarte.
   ▷ Sí, aunque **cuesta/cueste** bastante más de lo que pensaba gastar.

5. ▶ Julián me ha dicho que te pedirá perdón.
   ▷ Pues aunque me **pedirá/pida** perdón, no quiero volver a verlo nunca más.

6. ▶ Aunque **es/sea** sábado, hoy me quedo en casa; es que no me apetece salir...
   ▷ ¡Qué aburrido! Yo sí pienso salir un rato.

13 Completa las frases con los verbos entre paréntesis en la forma correcta de indicativo o subjuntivo.

1. Me voy, no porque .... (aburrirse), sino porque .... (estar) cansada.
2. No porque Juan .... (ser) tan alto puede jugar al baloncesto.
3. No te llamaré porque no .... (tener) el móvil encendido hasta el final de la reunión.
4. Salí a cenar fuera; es que no .... (tener) nada de comida en casa.
5. No se lo he dicho, pero no porque .... (estar) enfadada con ella, sino porque aún no la .... (ver).
6. No es que Lucas me .... (parecer) antipático, es que no .... (saber) nunca de qué hablar con él, ¡es tan callado...!

Cultura

14 Relaciona las columnas para formar frases.

1. Desde 2013, la FundéuRAE…
2. La palabra del año…
3. La palabra *escrache*…
4. La FundéuRAE…
5. La palabra *populismo*…
6. La FundéuRAE cada día…

a. tiene como objetivo impulsar el buen uso del español en los medios de comunicación.
b. proviene de Argentina y significa 'dejar en evidencia a alguien'.
c. significa 'tendencia de algunos políticos de cualquier ideología a recurrir a los sentimientos del ciudadano y ofrecer soluciones simples a problemas complejos'.
d. hace recomendaciones y responde a las consultas que recibe.
e. elige la palabra del año.
f. es alguna de las que más se ha usado en los medios de comunicación durante ese periodo y que tiene interés lingüístico.

15 Lee el texto e indica si las afirmaciones son verdaderas o falsas.

La palabra más bonita del español

Ni *sentimiento*, ni *gracias*, ni *flamenco*, ni *alegría*. La palabra más bonita del español ni siquiera viene en el diccionario de la Real Academia. *Querétaro*, cuatro sílabas que juntas forman una palabra desconocida para muchos y que no es más que el nombre de una ciudad mexicana. Significa 'isla de las salamandras azules' y es la que más votos ha obtenido de entre las más de treinta propuestas que personalidades de habla hispana le hicieron al Instituto Cervantes.

Tras un mes de votación en el que 33 000 personas han elegido por internet su palabra favorita, la ganadora se ha conocido hoy, en el Día E, la fiesta en la que el español está siendo homenajeado en todo el mundo. Los 78 centros Cervantes repartidos en 44 países están abiertos hoy al público y celebran diversas actividades culturales. Esta es la tercera cita de un proyecto del Instituto Cervantes para difundir la cultura en español en los cinco continentes.

"Es una fiesta que compartimos toda la comunidad hispanohablante en el mundo, algo muy hermoso para festejar y mostrar la gran cultura que atesora nuestra lengua, la riqueza de los pueblos y el potencial que encierran las comunidades que lo hablan. El español no tiene dueño, es de todos los que lo hablamos", ha dicho la directora del Instituto Cervantes.

El Día E celebra la riqueza de una lengua hablada por 500 millones de personas, aunque su uso no se limita a los veintiún países de los que es lengua oficial. Según datos del Instituto Cervantes, el español es la segunda lengua más estudiada del mundo. El número de estudiantes de español como lengua extranjera llegó casi a los 22 millones en 2018.

Adaptado de https://elpais.com/cultura/2011/06/18/actualidad/1308348002_850215.html

1. Las palabras fueron propuestas por grandes escritores hispanos. .... V F
2. Querétaro es el nombre de un tipo de salamandra azul. .... V F
3. 33 000 personas han elegido *Querétaro* como la palabra más bonita del español. .... V F
4. En el Día E, el Instituto Cervantes celebra la fiesta del español como lengua. .... V F
5. Según la Real Academia, el español es la segunda lengua más hablada del mundo. .... V F
6. Todos los centros Cervantes del mundo organizan actividades para celebrar el Día E. .... V F
7. El Día E es un proyecto para dar a conocer la cultura hispánica en todo el mundo. .... V F
8. El número de estudiantes de español en el mundo supera los veintiún millones. .... V F

15a En tu opinión, ¿cuál es la palabra más bonita del español? Escríbela y justifica tu elección.

Palabra: ....

Explicación: ....
....

Unidad 8 ¿Qué habrá pasado?

Palabras

1 ¿Cómo se llaman las partes de estos objetos? ¿Qué cosas pueden tenerlas?

① .... ② .... ③ .... ④ ....

....

2 Marca el intruso.

1. rectangular, plano, circular, triangular
2. tela, cartón, estrecho, aluminio
3. mango, piedra, punta, asa
4. plástico, madera, metal, ancho

2a Escribe una frase con cada una de las palabras marcadas en la actividad anterior.

1. ....
2. ....
3. ....
4. ....

3 Elige la opción correcta.

1. Es de **aluminio/corto**.
2. Tiene forma de **circular/círculo**.
3. Está hecho de **cuadrado/metal**.
4. Tiene forma **alargada/cartón**.
5. Es **rectangular/rectángulo**.
6. Es **alargado/aluminio**.

4 Completa estas palabras que expresan formas y figuras.

1. .... rt ....
2. h .... r .... z .... t ....
3. .... ct ....
4. r .... d .... nd ....
5. d .... a .... on l

6. a .... ho
7. v .... rt l
8. .... la .... g .... d ....
9. .... ír .... l ....
10. .... l .... n ....

5 Completa las frases con la palabra que representan las imágenes.

1. Las .... de esta cacerola están muy calientes, ten cuidado.
2. Pon la .... , todavía no vamos a comer y no quiero que se enfríe la comida.
3. Este lápiz no tiene .... , es imposible escribir con él.
4. Deja la cuchara en el .... de la sartén.
5. ¿Dónde está el .... de la botella? No lo veo por ninguna parte.

6 Completa estas frases con las palabras del recuadro.

| circular | diagonal | horizontal | vertical | triangular | rectangular |

1. Para hacer este ejercicio debes tumbarte, estar en posición ....
2. Es una plaza redonda, completamente ....
3. Cada lado de la pirámide de Keops tiene forma ....
4. No es cuadrado, es .... porque estos dos lados son un poco más largos.
5. Desde allí la vista es espectacular, se ve la línea .... de los rascacielos.
6. El tamaño de una pantalla se mide de esquina a esquina, en ....

7 Observa las imágenes. ¿Qué objetos ves en ellas? ¿Para qué se han usado? Descríbelas utilizando los verbos del recuadro. Fíjate en el ejemplo.

servir | usarse | utilizarse | emplearse

1. *Hay botellas de cristal que **sirven** de lámparas./**se han usado** como lámparas.*
2. ....
3. ....
4. ....
5. ....
6. ....

7a Escucha una entrevista en la que se habla de estos objetos. Marca el orden en el que se mencionan. ¿Hay algún objeto que no se dice? ¿Cuál?

[17]

☐ juguetes   ☐ sillones   ☐ macetas   ☐ lámparas   ☐ puertas   ☐ barca

7b Vuelve a escuchar la entrevista y marca si las afirmaciones son verdaderas o falsas.

[17]
1. El concurso era para promover el reciclaje y el consumo. .... V F
2. Tenían que hacer un objeto fundamentalmente con cosas ya usadas. .... V F
3. Se valoraba la reutilización de objetos, la originalidad y el nuevo uso que se les daba. ...... V F
4. No había cosas muy originales. .... V F

5. Había una barca hecha solo con botellas de plástico. .... V F
6. Laura participó con algunos compañeros. .... V F
7. Buscaron ideas en internet. .... V F
8. El padre de Laura tiene un taller donde había ruedas suficientes. .... V F

8 Escribe un texto de unas cincuenta palabras describiendo un objeto hecho con otros reutilizados. Debes hablar de los materiales, las formas y las partes que lo componen.

....
....
....
....

9 Completa las frases con la forma adecuada del futuro compuesto. Luego di qué valor tiene: futuro anterior a otro futuro (F) o hipótesis sobre el pasado reciente (H).

1. Seguramente Juan .... (llegar) ya, llámalo. .... ☐F ☐H
2. Mañana, a esta hora, ... (terminar, nosotros) el examen. .... ☐F ☐H
3. En pocos años los teléfonos fijos .... (desaparecer). .... ☐F ☐H
4. ¿Crees que en una hora .... (terminar, tú) el informe para la jefa? .... ☐F ☐H
5. No sé dónde .... (ir) Juan esta mañana, ha salido muy temprano. .... ☐F ☐H
6. Laura no ha llegado aún, ... (dormirse, ella). .... ☐F ☐H
7. Según esta aplicación, a las seis ya .... (dejar) de llover. .... ☐F ☐H
8. ¿Crees que para mañana .... (arreglar, tú) el coche? .... ☐F ☐H

10 Lee el texto y elige la opción correcta entre futuro simple o compuesto.

¿Y qué [1] **pasará/habrá pasado** con el temido cambio climático? A juicio de Jorge Olcina, catedrático de Análisis Geográfico Regional en la Universidad de Alicante, dentro de cincuenta años [2] **notaremos/habremos notado** de manera más evidente los efectos del calentamiento global porque difícilmente los Gobiernos se [3] **pondrán/habrán puesto** de acuerdo antes para buscar una solución. En España [4] **tendremos/habremos tenido** veranos más calurosos y las lluvias [5] **serán/habrán sido** más irregulares. Aunque para entonces [6] **subirá/habrá subido** el nivel del mar, Olcina no cree que en el Mediterráneo se note mucho porque no va a ser un mar muy expuesto a este proceso. El geógrafo cree que en 2070 ya se [7] **pondrán/habrán puesto** en marcha leyes para evitar cualquier intento de modificación artificial de las lluvias; de lo contrario piensa que [8] **estaremos/habremos estado** perdidos.
En el ámbito de la alimentación, Olcina, en cambio, es optimista. Cree que de aquí a entonces [9] **mejorarán/habrán mejorado** las técnicas de producción de alimentos y que seguramente [10] **haremos/habremos hecho** un uso más eficiente del agua, aunque antes algunas producciones agrícolas [11] **tendrán/habrán tenido** que adaptarse a las nuevas condiciones del clima.

Adaptado de https://www.laopiniondemalaga.es/sociedad/2017/06/12/futuro-espera-50-anos/936860.html

10a Escribe en tu cuaderno un texto de unas cien palabras sobre lo que habrá cambiado en el mundo dentro de cincuenta años a causa del cambio climático.

11 Completa libremente las frases usando el futuro compuesto.

1. Dentro de cinco años yo ya ....
2. El verano que viene ....
3. En cien años los móviles ....
4. Dentro de un rato ya ....
5. El próximo mes ....
6. Esta noche, a las doce, ya ....

12 Clasifica estas expresiones de hipótesis en su lugar correspondiente de la tabla.

| **1.** a lo mejor | **2.** es posible que | **3.** quizá(s) | **4.** igual | **5.** tal vez | **6.** es imposible que | **7.** probablemente |
| **8.** seguramente | **9.** puede (ser) que | **10.** lo mismo | **11.** es probable que | **12.** posiblemente |

Con indicativo	Con indicativo y subjuntivo	Con subjuntivo

13 Lee el diálogo y luego relaciona las columnas.

María: Oye, Félix, ¿qué van a hacer nuestros compañeros estos días de vacaciones?

Félix: Pues Esmeralda a lo mejor se va a esquiar con su familia. Sus padres tienen una casa en la montaña y ella no quiere quedarse en casa.

María: ¿Ah, no? Pues es que Juan quizá celebre su cumpleaños estos días y posiblemente quiera que también vaya Esmeralda a la fiesta; ya sabes que son amigos desde que eran pequeños.

Félix: ¿Va a celebrar su cumple en estos días? Porque lo mismo yo tampoco estoy. Puede que visite a mi primo, que está viviendo en Londres desde hace unos meses.

María: Me encanta Londres, qué envidia. Yo creo que estaré por aquí, pero hablaré con Juan porque lo mismo es buena idea posponer la fiesta.

Félix: Sí, no creo que mucha gente se quede. Es posible que solo me vaya cuatro días, así que cuando vuelva, si quieres, hacemos algo; voy a tener bastante tiempo libre.

María: Sí, genial. Tal vez hable con Juan para hacer una merienda en casa, ¿te apetece?

Félix: Claro, ya sabes que, si hay comida, el plan me apetece siempre.

María: ¿Y sabes si Pedro al final va a volver de Alemania?

Félix: No, la verdad es que no tengo ni idea, pero yo creo que hasta las vacaciones de verano no va a venir; está muy ocupado con los exámenes.

María: Sí, es verdad, es que hace mucho que no hablo con él. A lo mejor le escribo esta tarde un mensaje y chateamos un rato.

1. Puede que Esmeralda…
2. Igual Juan…
3. Seguramente María y sus amigos…
4. A lo mejor Félix…
5. No es probable que Pedro…

a. tiene que cambiar la fecha de su fiesta.
b. salga fuera estas vacaciones.
c. visite estos días a María y a Félix.
d. hace un viaje.
e. pasen una tarde en su casa.

13a Vuelve a leer el texto y subraya los tres casos donde los verbos que están en subjuntivo podrían estar en indicativo sin cambiar la expresión de probabilidad.

14 Lee los diálogos y contesta a las preguntas en tu cuaderno usando el futuro simple o el compuesto para expresar tus hipótesis.

 ① No me lo puedo creer…

No te preocupes, no pasará nada. Verás cómo todo se soluciona enseguida. Seguro que no te lo ha dicho en serio, que solo estaba un poco enfadada.

 ③ Mira, Sandra, es increíble… En mi cuenta hay cien mil euros, pero yo tenía menos de cinco mil.

No puede ser… ¿Estás seguro? ¿Lo has mirado bien?

 ② ¿Qué ha pasado? Está todo desordenado y hay muchas cosas rotas.

No lo sé… Esta mañana estaba todo bien… ¿Qué ha podido suceder?

 ④ Ha sido un día increíble, lo hemos pasado genial. Qué bonito e interesante era todo, ¿verdad?

Sí, tenemos que repetir, a mí también me ha encantado.

- ¿Dónde piensas que se encuentran estas personas?
- ¿Qué relación crees que hay entre ellas?
- ¿Qué imaginas que están haciendo en este momento?
- ¿Cómo crees que se sienten? ¿Por qué?
- ¿Qué crees que ha sucedido antes? ¿Qué han hecho o qué les pasado?

15 Completa las frases con el verbo en infinitivo o en presente de subjuntivo, según corresponda.

1. Los aparatos nuevos vienen con instrucciones para que los consumidores los .... (instalar) sin dificultad.

2. En el escaparate de la ferretería hay muchos objetos curiosos para .... (atraer) clientes.

3. Gustavo ha entrado en la tienda de su abuelo para que este .... (conocer, él) a su amigo Teo.

4. Los exámenes sirven para .... (comprobar) los conocimientos de los estudiantes.

5. Una bomba de bici sirve para .... (inflar) las ruedas.

6. La medicina avanza para que la gente .... (vivir) más tiempo.

7. Los asientos de los trenes pueden inclinarse para que los pasajeros .... (estar) más cómodos.

8. Podemos reutilizar muchos materiales para .... (contaminar) menos.

16 Relaciona las dos columnas para formar frases eligiendo el marcador de finalidad más adecuado en cada caso.

1. Tráfico recomienda el uso del transporte público…	a. los alumnos estén informados.
2. El profesor puso un vídeo…	b. la ciudad sea más segura.
3. Han puesto un cartel en la escuela…	c. evitar atascos.
4. Ayer vinieron unos amigos…	d. explicarnos el subjuntivo.
5. Voy a bajar a la calle…	e. verme.
6. El Gobierno ha aumentado la presencia policial…	f. me dé un poco el aire.

con el fin de (que)
para (que)
a (que)

17 Estamos en el año 2500, unos arqueólogos han escrito estos informes sobre algunos objetos que han encontrado en un yacimiento de nuestra época. Lee sus hipótesis y relaciona cada una con uno de estos objetos.

a. Algunos creemos que sería una especie de recolector que se emplearía en el campo; su largo brazo flexible y las ruedas que lo llevarían de un sitio a otro parecen indicarlo. Otros colegas piensan que con él, nuestros antepasados del siglo XXI regarían las plantas. Para ello, llenarían de agua el depósito del aparato y luego la esparcirían a través del brazo. También hay quien piensa que se trataría de un detector de metales.

b. Seguramente este objeto serviría para transmitir pensamientos o ideas. Se pondría la parte circular en la frente de una persona y otros dos extremos se ajustarían a las sienes de una segunda persona, así los pensamientos pasarían de una cabeza a otra. Se trataría entonces de una forma primitiva de telepatía. Imaginamos que se emplearía también para analizar la mente de las personas y que, por tanto, lo usaría a menudo la policía para interrogar a criminales.

c. Por su forma y tamaño, parece evidente que dentro de esta máquina se metería la cabeza. Tal vez sería un dispositivo de realidad virtual. Las personas introducirían la cabeza y, en el cristal, verían las imágenes reproducidas. La gente disfrutaría así de las películas y de otros espectáculos y juegos. Seguramente utilizarían también este aparato como medio para comunicarse con otras personas realizando videollamadas.

17a ¿Qué tiempo han utilizado para describir estos objetos y por qué?

17b Imagina que eres uno de los arqueólogos. Escribe en tu cuaderno un texto como los anteriores sobre el objeto que no se ha descrito en la actividad 17.

18 Completa este texto sobre el Rastro de Madrid con los fragmentos que tienes debajo.

En todas las ciudades y en casi todos los pueblos de España [1] ☐ van de pueblo en pueblo y de ciudad en ciudad ofreciendo sus variadas mercancías.

En ciudades pequeñas y pueblos, el día [2] ☐ a comprar comida, ropa o artículos para la casa, entre otras cosas.

Algunos de estos mercadillos se han convertido en un auténtico evento social, ya que [3] ☐ a buscar objetos que normalmente no encuentran en las tiendas.

El más famoso es, sin duda, el Rastro, un mercadillo con más de cuatrocientos años de historia situado en el animado ambiente del centro histórico de Madrid en el que los domingos y festivos se pueden [4] ☐, así como tabernas y bares donde tomar el aperitivo y sentirte un madrileño más.

El mercado se sitúa en torno a la calle Ribera de Curtidores, una cuesta donde [5] ☐ muebles, películas, libros, cómics, ropa nueva o usada, enchufes, objetos de adorno, cuadros…

Muchas calles próximas a la Ribera de Curtidores se dedican a la venta de productos y objetos especializados y [6] ☐.

a. del mercado las calles se llenan de gente que se desplaza desde otras poblaciones más pequeñas

b. encontrar mercancías de todo tipo, antigüedades y objetos curiosos

c. se organiza un mercadillo un día a la semana. Los comerciantes ambulantes

d. se extienden cientos de puestos con los objetos más variados:

e. cada vez son más las personas que deciden dedicar una mañana

f. es posible encontrar puestos y tiendas abiertas todos los días de la semana

18a ¿Conoces algún mercadillo como el Rastro? Escribe un texto de unas cincuenta palabras contando cómo es, cuándo se celebra y dónde, qué tipo de objetos venden, si tú vas a menudo y qué sueles comprar.

....
....
....
....
....

19 🔊 Escucha la conversación entre Miguel y Sebastián y luego indica si estas afirmaciones son verdaderas o falsas.

[18]

1. El viaje de Miguel a Madrid no ha estado mal. .... V F
2. A Miguel uno de los lugares de Madrid que más le gusta es el Rastro. .... V F
3. Miguel compró vinilos para decorar su cuarto. .... V F
4. Sebastián tiene mucha idea a la hora de decorar. .... V F
5. Sebastián compró en el Rastro una máquina de coser. .... V F
6. Miguel y Sebastián planean ir juntos a Madrid. .... V F

Unidad 9 ¿Eres lo que comes?

Palabras

1 Relaciona cada palabra con su definición. Puedes usar el diccionario.

1. mineral	a.	Que elimina la intoxicación o sus efectos.
2. desintoxicante	b.	Conjunto de alimentos que se consumen habitualmente.
3. proteína	c.	Grano de los vegetales que al caer o ser sembrado produce una nueva planta.
4. aminoácido	d.	Que sirve para combatir las infecciones causadas por bacterias.
5. fibra	e.	Sustancia química que constituye el elemento esencial de las células vivas.
6. dieta	f.	Cada uno de los filamentos que forman parte de los tejidos orgánicos vegetales o animales.
7. semilla	g.	Sustancia química orgánica que constituye el componente básico de las proteínas.
8. antibacteriano/a	h.	Sustancia inorgánica que se encuentra en la corteza terrestre.

1a Completa el texto con las palabras de la actividad anterior en la forma correcta.

Alimentos curativos

Hay muchos alimentos que, por sus propiedades naturales, nos ayudan a mejorar la salud. El primer grupo de alimentos que vamos a recomendar lo forman aquellos que son ricos en [1] ...., como el pollo, el salmón y los huevos, pues ayudan tanto a estabilizar el azúcar en la sangre como a producir la energía que necesitamos para vivir.

También son muy aconsejables las [2] ....: no solo aportan sabor a la cocina, también tienen propiedades curativas gracias a la presencia de fibra y de calcio, fósforo, potasio y hierro, entre otros [3] ...., además de los [4] ...., esenciales en cualquier dieta. Las de sésamo, de girasol o de chía se pueden añadir a yogures, ensaladas o batidos.

Todos sabemos lo importantes que son las verduras y que no deben faltar en ninguna [5] ...., ya sea para adelgazar, para mantener el peso o, simplemente, para cuidarnos.

El ajo es un antibiótico natural, pues posee propiedades [6] .... y antifúngicas. Además, ayuda a combatir la depresión y algunos tipos de cáncer. Está indicado también para las personas con problemas de hipertensión.

El limón es un [7] .... natural que ayuda a limpiar tu organismo. Lo puedes utilizar en casi todas las comidas y es muy saludable si lo tomas por las mañanas en ayunas exprimido en un vaso de agua tibia.

Por último, te recomendamos que tomes una manzana diaria, pues se trata de una fruta que contiene [8] ...., vitaminas, minerales y muchos nutrientes.

Adaptado de https://www.elconfidencial.com/alma-corazon-vida/2019-05-11/alimentos-curativos-naturales-para-mejorar-salud_1994566/

1b Lee las siguientes afirmaciones y corrige las que sean erróneas según el texto.

1. Los aminoácidos ayudan a controlar el nivel de azúcar en sangre.
2. Las proteínas de las semillas hacen que estas tengan propiedades curativas.
3. El pollo se encuentra entre los alimentos más ricos en proteínas.
4. Las verduras deben formar parte de cualquier dieta saludable.
5. El ajo está indicado también para perder peso o para mantenerlo.
6. El limón ayuda a producir la energía que necesitamos para vivir.

2 Fíjate en las imágenes y escribe el nombre del alimento al que hacen referencia. ¿Qué crees que tienen en común todos ellos?

① ....

② ....

③ ....

④ ....

⑤ ....

⑥ ....

2a 🔊 Vas a escuchar un fragmento de una entrevista a una dietista. Indica qué alimentos de la actividad anterior menciona.
[19]

2b 🔊 Vuelve a escuchar y elige la opción correcta.
[19]
1. Los alimentos ultraprocesados solo contienen **nutrientes/ingredientes**.
2. Las legumbres envasadas son un producto procesado **insano/saludable**.
3. Una de las sustancias perjudiciales para la salud es **la fibra/el azúcar**.
4. El consumo de alimentos procesados **sube/baja** el nivel de insulina y provoca diabetes tipo 2.
5. Los **refrescos/frutos secos** se consideran un alimento sano.

2c La dietista habla de alimentos procesados que no son perjudiciales para la salud. ¿Cuáles son y por qué no son perjudiciales?

3 Fíjate en los alimentos de las imágenes y escribe el nombre que tiene cada uno en España y en Hispanoamérica.

① ....

② ....

③ ....

④ ....

Gramática

4 Elige la opción correcta e indica si la preposición expresa causa (C) o finalidad (F). ¿Hay algún caso en el que sean posibles las dos opciones?

1. El profesor no lo dejó entrar en clase **por/para** llegar tarde. .... ☐ C ☐ F
2. Llamé a Elena **por/para** preguntarle una cosa. .... ☐ C ☐ F
3. He ido al restaurante **por/para** reservar una mesa. .... ☐ C ☐ F
4. **Por/Para** ser tú, te ayudaré, pero tengo poco tiempo. .... ☐ C ☐ F
5. Le hemos comprado una bicicleta **por/para** su cumpleaños. .... ☐ C ☐ F
6. ¿**Por/Para** qué fuiste a hablar con el jefe? .... ☐ C ☐ F

5 Completa el texto con las preposiciones *por* o *para*.

Tokio transforma las azoteas de las estaciones de tren en huertos urbanos

La cultura de los huertos urbanos se está poniendo de moda [1] .... todo el mundo. En Japón, un proyecto agrícola urbano llamado Soradofarm ha creado varios huertos [2] .... todo el país. El más grande es el de Machinaka, que crece en la azotea de una estación de tren en Tokio y que ha sido reconocido tanto a nivel local como internacional [3] .... su labor.

El huerto de Machinaka es un lugar [4] .... relajarse; un espacio que, [5] .... medio de la jardinería, busca equilibrar la estresante vida de la capital japonesa. Mientras que los otros huertos urbanos se usan [6] .... el cultivo de alimentos bio, es decir, alimentos que crecen libres de químicos y fertilizantes, este espacio pretende proporcionar a sus usuarios el bienestar psicológico que la práctica de la jardinería tiene [7] .... el ser humano.

El jardín está abierto a todos, pero, [8] .... tratarse de un espacio limitado, hay que pagar una cuota de 100 400 yenes [9] .... una parcela de 161 metros cuadrados. En una ciudad tan grande y populosa como Tokio, lamentablemente no hay suficiente espacio [10] .... que todos sus habitantes puedan tener su propio huerto urbano.

La zona, sin embargo, proporciona una tranquila espera a los viajeros que vuelven a sus casas y un ambiente relajado [11] .... las familias que, cuando los niños salen del colegio [12] .... la tarde, van de regreso [13] .... sus casas. [14] .... los niños este es sin duda un lugar mágico.

[15] .... la popularidad que ha alcanzado este jardín, la compañía ferroviaria planea crear en las azoteas de otras estaciones espacios similares [16] .... continuar fomentando este tipo de actividades en una comunidad estresada [17] .... el caótico estilo de vida urbano.

Adaptado de https://ecoinventos.com/tokio-transforma-las-azoteas-de-las-estaciones-de-tren-en-huertos-urbanos

5a Clasifica en la tabla de los usos de *por* y *para* los ejemplos del texto anterior. Escribe tú los ejemplos para los usos que no encuentres en el artículo.

Por	Para
Causa:	Finalidad: ....
Tiempo aproximado:	Plazo de tiempo: ....
Lugar aproximado:	Dirección: ....
Partes del día:	Opinión: ....
Intercambio, precio:	Destinatario/a: ....
Medio:	Comparación en contraposición: ....

6 Indica cuáles de los siguientes conectores son consecutivos.

1. ☐ entonces
2. ☐ porque
3. ☐ de ahí que
4. ☐ puesto que
5. ☐ o sea que
6. ☐ así (es) que
7. ☐ de manera/modo que
8. ☐ por (lo) tanto
9. ☐ ya que
10. ☐ dado que
11. ☐ por consiguiente
12. ☐ por cierto

7 Completa las frases escribiendo los verbos entre paréntesis en la forma correcta.

1. Anoche estábamos agotadas, así que .... (quedarse) en casa.
2. La impresora apenas tiene tinta, de ahí que .... (imprimir) tan mal.
3. Ha quedado todo claro; por consiguiente .... (pasar, nosotros) a la siguiente cuestión.
4. El coche iba a mucha velocidad, de modo que .... (salirse) de la carretera.
5. Tienes que entregar el informe en cinco minutos, o sea que .... (terminar) ya.
6. Dale la vuelta a la tortilla, de manera que .... (cocinarse) por los dos lados.
7. Los espárragos contienen mucha fibra, por lo que .... (ser) recomendables en cualquier dieta.

8 Fíjate en los pares de imágenes y escribe frases usando algunos de los conectores consecutivos de la actividad 6 sin repetir ninguno.

1. ....

2. ....

3. ....

4. ....

5. ....

6. ....

9 🔊 Escucha a un nutricionista que habla sobre la dieta mediterránea y completa las frases.

[20]

1. Se utiliza aceite de oliva para cocinar verduras y legumbres, por lo tanto ....
2. Se consume mucha fruta y verdura, o sea que ....
3. Es una dieta rica en polifenoles, así es que ....
4. Contiene muchos antioxidantes, de manera que ....
5. Mucha gente no sigue la dieta mediterránea, de ahí que ....

10 Lee las siguientes afirmaciones sobre las oraciones condicionales e indica si son verdaderas o falsas.

1. La primera condicional presenta siempre condiciones irreales. .... V F
2. La estructura de la primera condicional es *si* + presente de indicativo + presente, imperativo o futuro. .... V F
3. La primera condicional puede tener valor habitual, equivalente a *cuando* o *siempre que*. .... V F
4. No es posible intercambiar el orden entre la oración principal y la subordinada. .... V F
5. El *si* condicional no puede construirse con futuro. .... V F

11 Lee el texto y escribe los verbos entre paréntesis en el tiempo y modo adecuados.

Qué debes comer según tu trabajo

Si [1] .... (adaptar) nuestra dieta al tipo de trabajo que desempeñamos, [2] .... (mejorar) nuestro rendimiento, [3] .... (reducir) la fatiga acumulada tras la jornada laboral, [4] .... (estar) más sanos y [5] .... (gozar) de un mayor bienestar. Vamos a ver cuál sería esa dieta ideal de acuerdo con el tipo de trabajo que realizamos.

Trabajos sedentarios. Si [6] .... (tener, tú) que permanecer sentado gran parte de tu jornada laboral o si [7] .... (trabajar) al volante, en tu alimentación diaria no [8] .... (deber) faltar una ensalada, un plato de verdura cocinada y tres raciones de fruta; además, [9] .... (tomar) un plato de legumbres, arroz, pasta, carne y pescado a la semana.

Trabajos de gran esfuerzo. Si [10] .... (realizar, tú) un gran esfuerzo físico en tu trabajo, [11] .... (necesitar) una dieta con la cantidad suficiente de calorías para compensar el gasto que conlleva la actividad realizada. En cambio, si [12] .... (someterse) diariamente a grandes esfuerzos mentales o a estrés de tipo psíquico, las necesidades energéticas no [13] .... (ser) tan elevadas como en los casos de estrés físico y [14] .... (bastar) con que la dieta contenga una cantidad suficiente de todos los nutrientes esenciales que el organismo necesita.

Trabajos con horarios especiales y turnos. Si [15] .... (estar, tú) en este grupo, [16] .... (almorzar) cuando te levantes, que será generalmente a mediodía, [17] .... (merendar) antes de entrar al trabajo, [18] .... (cenar) tarde durante tu jornada laboral y [19] .... (desayunar) antes de acostarte. Si este horario de turnos o nocturno [20] .... (ser) tan solo ocasional, lo ideal [21] .... (ser) no alterar tus hábitos alimentarios.

Trabajos que exigen comer fuera de casa. Puedes preparar la comida en casa y llevarla al trabajo, pero si esta opción no te [22] .... (parecer) posible, [23] .... (procurar) elegir siempre platos ligeros y equilibrados, incluso si [24] .... (comer) en un restaurante de comida rápida.

Adaptado de https://dietasymas.es/que-debes-comer-segun-tu-trabajo

12 Escribe en tu cuaderno la respuesta a estas preguntas. Utiliza para ello oraciones condicionales.

- Qué haces si tienes hambre y tu frigorífico está vacío?
- ¿Qué harás si mañana nieva tanto que no puedes salir de casa?
- ¿Qué dirá tu familia si le dices que vas a adoptar un perro?
- ¿Qué haces si te invitan a una comida muy formal?

- ¿Qué pasa si tomas muchos dulces y refrescos?
- ¿Qué haces si esperas una llamada importante y estás sin batería?
- ¿Qué pensarán tus amigos si no les invitas a tu fiesta de cumpleaños?
- ¿Qué comprarás si te regalan una tarjeta regalo de mil euros?

Cultura

13 Elige la opción correcta para completar la información sobre el aceite de oliva.

1. Antes de los romanos, se usaba...
   a. con fines cosméticos.
   b. solo con fines gastronómicos.
   c. con ambos fines.

2. En los países mediterráneos es...
   a. un alimento poco usado.
   b. un ingrediente básico de algunos platos.
   c. un alimento esencial.

3. En España la capital del aceite es...
   a. Jaén.
   b. Mérida.
   c. Sevilla.

4. El aceite más apreciado en la cocina es...
   a. el que se hace con aceitunas.
   b. el de oliva virgen extra de extracción en frío.
   c. el elaborado en frío.

5. Una de sus propiedades es que...
   a. fortalece los músculos.
   b. es eficaz contra el cansancio.
   c. es antioxidante.

6. Los olivos de mil años se protegen...
   a. porque producen buen aceite.
   b. porque hay muy pocos.
   c. como parte del patrimonio nacional.

14 Marca verdadero o falso y corrige la información incorrecta.

1. En España se consumen 20 litros de aceite por persona y año. .... V F
2. El aceite de oliva tiene propiedades antinflamatorias. .... V F
3. El olivo tiene 46 cromosomas, igual que el ser humano. .... V F
4. Los médicos recomiendan ingerir dos o tres cucharadas de aceite de oliva virgen
   extra al día para fortalecer el sistema digestivo. .... V F
5. La provincia de Jaén tiene 660 millones de olivos. .... V F
6. Es necesario usar unos 5 kilos de aceitunas para fabricar 1 litro de aceite de oliva virgen extra. .... V F

15 Ordena las partes de este texto sobre los beneficios del aceite de oliva.

a. ☐ El aceite de oliva previene las enfermedades cardiovasculares: el ácido oleico, presente en el aceite de oliva virgen, contribuye a reducir los niveles de colesterol malo, mientras que aumenta los de colesterol bueno

b. ☐ una menor incidencia de varios tipos de cáncer en países mediterráneos (los principales consumidores de aceite de oliva) en comparación con países del norte de Europa y de Estados Unidos.

c. ☐ conduce al sobrepeso y a la obesidad, importantes factores de riesgo para la aparición y empeoramiento de esta enfermedad; por eso, las recomendaciones nutricionales para personas con diabetes tipo 2 suelen incluir

d. ☐ de los niños durante su crecimiento y también en la edad adulta para limitar la pérdida de calcio propia del envejecimiento y que puede desembocar en patologías como la osteoporosis.

e. ☐ e incrementa la vasodilatación arterial, mejorando la circulación sanguínea y disminuyendo la presión arterial. También favorece la función digestiva y protege frente a las enfermedades gastrointestinales. Además, disminuye las complicaciones en los pacientes con diabetes tipo 2: un elevado consumo de grasa saturada

f. ☐ El aceite de oliva favorece, además, la longevidad, al reducir las muertes por enfermedades cardiovasculares y por cáncer; los resultados obtenidos en diversos estudios científicos han demostrado

g. ☐ el consumo de ácido oleico, entre otras recomendaciones. El aceite de oliva contribuye, por otro lado, a una correcta mineralización de los huesos y a su desarrollo; es, pues, muy importante que esté presente en la dieta

Adaptado de https://www.webconsultas.com/dieta-y-nutricion/dieta-equilibrada/aceite-de-oliva-beneficios-del-oro-liquido-5136

Palabras

1 Lee estos perfiles y reescríbelos en tu cuaderno sustituyendo las partes resaltadas por adjetivos que describan el carácter.

1. Me llamo Rosa. Soy una persona que se relaciona fácilmente con la gente. Tengo que admitir que no tengo mucha paciencia, pero trabajo mucho y asumo mis responsabilidades. No me gusta la gente que se cree superior ni tampoco la que lo ve todo negro.

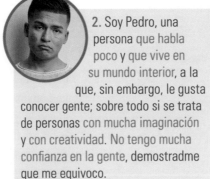

2. Soy Pedro, una persona que habla poco y que vive en su mundo interior, a la que, sin embargo, le gusta conocer gente; sobre todo si se trata de personas con mucha imaginación y con creatividad. No tengo mucha confianza en la gente, demostradme que me equivoco.

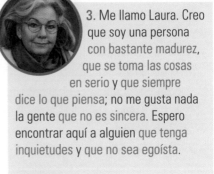

3. Me llamo Laura. Creo que soy una persona con bastante madurez, que se toma las cosas en serio y que siempre dice lo que piensa; no me gusta nada la gente que no es sincera. Espero encontrar aquí a alguien que tenga inquietudes y que no sea egoísta.

4. Mi nombre es Iván. La gente dice que soy una persona a la que le gusta la tranquilidad, que tiene mucha paciencia y que no tiene una visión muy alegre de la vida, pero también alguien que cae bien a los demás y es agradable en el trato. Pero será mejor que lo descubras tú mism@.

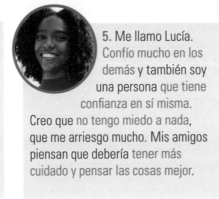

5. Me llamo Lucía. Confío mucho en los demás y también soy una persona que tiene confianza en sí misma. Creo que no tengo miedo a nada, que me arriesgo mucho. Mis amigos piensan que debería tener más cuidado y pensar las cosas mejor.

6. Mi nombre es Samuel. Mis amigos dicen que les hago reír y que se divierten conmigo, aunque también dicen que me creo muy guapo y muy especial. Yo pienso que no es verdad. Confieso que no me gusta mucho trabajar. Odio a las personas que solo piensan en sí mismas.

1a Escribe todas las parejas de antónimos que hayas utilizado en la actividad anterior.

....

....

2 Escribe debajo de cada icono la palabra relacionada con las nuevas tecnologías que representa.

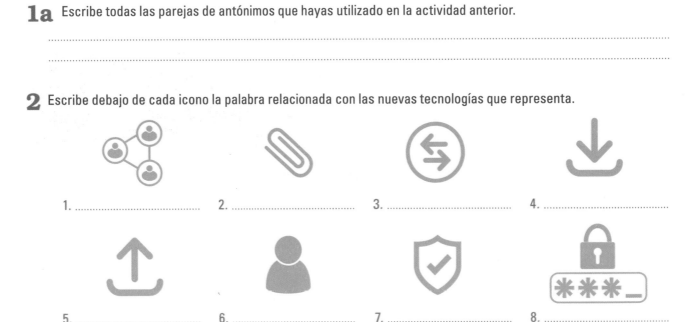

1. ....
2. ....
3. ....
4. ....

5. ....
6. ....
7. ....
8. ....

2a Escribe en tu cuaderno una frase con cada una de las palabras de la actividad anterior.

3 Completa el texto con las palabras del recuadro.

> infancia | periodos | crecimiento | familiar | adolescencia | edad | adolescente
> carrera | madurez | etapa | juventud | década | vejez | niños

La actividad física según la edad

El ejercicio físico es muy beneficioso para la salud, pero hay que tener en cuenta que su intensidad debe adaptarse a la edad de cada persona.

En la [1] ...., hasta los 12 o 13 años, el ejercicio contribuye al desarrollo de los huesos y al [2] .... Los [3] .... deberían probar varios deportes y desarrollar distintas habilidades. La actividad física no programada, como los juegos, también es de gran ayuda.

Luego, durante la [4] ...., es importante realizar una cantidad suficiente de ejercicio para mantener el cuerpo en forma. Anime a su hijo [5] .... a practicar un deporte de equipo, a esa edad sociabilizar es también muy importante.

Durante la [6] ...., entre los 20 y los 30 años, las personas se encuentran en su mejor momento físico; la actividad realizada de manera regular aumenta la masa muscular y la densidad ósea durante esta [7] .... vital y ayuda a retenerlas años después; sin embargo, es fundamental establecer [8] .... que alternen intensidad, cantidad y tipo de ejercicio.

En la siguiente [9] ...., de los 30 a los 40 años, la [10] .... profesional y la vida [11] .... se convierten en una prioridad para muchas personas. Deportes como las carreras de velocidad o el ciclismo son perfectos para quienes no disponen de mucho tiempo, ya que pueden practicarse en 20 minutos, y ayudan a ralentizar el lógico declive físico.

Muchas personas ganan peso a partir de los 40, ya en la [12] .... Los ejercicios que aumentan la resistencia, como correr o caminar a un ritmo rápido, son la mejor alternativa para favorecer la quema de calorías y contrarrestar la acumulación de grasa.

En la tercera [13] .... es habitual que las personas acumulen dolencias crónicas. La [14] .... es un factor de riesgo importante para la aparición de muchas enfermedades. Mantener un nivel moderado de actividad física puede ayudar a prevenirlas.

Lo principal es no parar de movernos a lo largo de la vida. Nada es tan saludable como el ejercicio físico continuado y una dieta rica y variada.

Adaptado de https://theconversation.com/que-ejercicio-es-el-mas-adecuado-en-cada-etapa-de-la-vida-110210

3a Escribe en tu cuaderno un resumen del texto anterior en cien palabras.

4 Describe los objetos de las imágenes: di cómo se llaman, cuál es su forma, el material del que están hechos y su función.

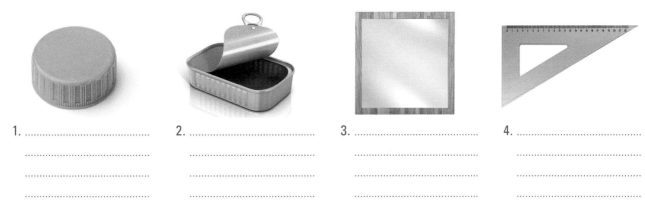

1. ....
....
....
....

2. ....
....
....
....

3. ....
....
....
....

4. ....
....
....
....

Gramática

5 Elige la opción correcta en cada caso.

1. Ojalá que el examen no **es/sea** tan difícil como el último.
2. Marta y Luis esperan **tener/tengan** un hijo muy pronto.
3. Se ruega a los señores clientes que **terminar/terminen** de realizar sus compras.
4. Quiero que vosotras me **ayudáis/ayudéis** a cambiar el sofá de sitio.
5. Mi jefe me ha pedido que **corrijo/corrija** el informe que escribimos ayer.
6. ¿Tienes ganas de **ver/veas** a Alberto? Falta poco para que llegue.
7. Deseo que todo **sigue/siga** igual, que nada **cambia/cambie**.
8. Te suplico **perdonarme/que me perdones**.

6 Lee el correo que te ha escrito una amiga y escribe los verbos entre paréntesis en la forma adecuada. ¿Qué consejo le darías tú? Escríbelo en tu cuaderno.

●●●	De: Virginia	Asunto: ¿Qué hago?

Hola,
¿Qué tal estás? Yo tan confundida como la última vez que hablamos, por eso te escribo, para pedirte consejo. Tengo que decidir ya qué voy a estudiar el año que viene. Ya sabes que me gustaría hacer Periodismo, pero también me encantaría estudiar Bellas Artes en Barcelona. Mi padre me aconseja que lo [1] .... (pensar) bien, que no [2] .... (precipitarse) y que [3] .... (tener) en cuenta los aspectos positivos y los negativos de cada opción antes de tomar una decisión. Mi madre me recomienda que [4] .... (buscar) trabajo en Barcelona si quiero estudiar allí, porque ellos no podrán pagarme el alojamiento y la beca no cubrirá todos los gastos. También dice que es aconsejable que [5] .... (empezar) a buscar una casa en Barcelona; es que ella está convencida de que al final me iré allí. También me sugiere que el alojamiento no [6] .... (estar) lejos de la universidad y que [7] .... (elegir) un turno de clases que me permita trabajar.
¿Tú qué me aconsejas que [8] .... (hacer)? A ver si me ayudas a aclararme...
Un beso y hasta pronto,
Virginia

7 Transforma las siguientes frases usando el presente de subjuntivo.

1. Les ha prohibido salir antes de la pausa. ❯ ....
2. Nos ha mandado ir a su casa. ❯ ....
3. No te permiten utilizar la fotocopiadora. ❯ ....
4. Os ordeno venir cuanto antes. ❯ ....
5. ¿Me dejas coger tu bicicleta un momento? ❯ ....
6. ¿Quién os ha permitido jugar aquí? ❯ ....

8 Clasifica en la categoría correspondiente los verbos principales de las actividades 5, 6 y 7.

Expresar deseos y preferencias	Hacer peticiones	Dar consejos y hacer recomendaciones	Dar órdenes	Expresar permiso y prohibición

9 🔊 Escucha la conversación entre Manuel y Carmen y completa la tabla con lo que sienten en cada caso.

[21]

	Las películas de terror	Los musicales	Cenar en sitios con música en vivo	Cenar en restaurantes argentinos	Ir a bailar
Carmen					
Manuel					

9a 🔊 Vuelve a escuchar y completa la información.

[21]

1. Carmen le pregunta a Manuel si le apetece ....
2. A Carmen .... que usen siempre los mismos recursos para asustar.
3. A Carmen le sorprende que a Manuel .... los musicales.
4. A Carmen .... que haya que gritar para entenderse.
5. Manuel pregunta a Carmen si no le da pena ....
6. Carmen dice que Manuel no soporta que ...., pero que le pone contento
   ....
7. A Carmen le extraña que Manuel .... porque él .... las discotecas.
8. A Manuel normalmente .... tanto ruido y tanta gente.

10 Lee este artículo donde una periodista habla sobre el reciclaje y escribe los verbos del recuadro donde corresponda en la forma correcta.

preservar | poder | adquirir | estar | aprender | entender | saber
dejar | ser | disfrutar | comprender | tener

El reciclaje para mí es algo cotidiano. Creo que con un simple gesto como el de separar los diferentes residuos en nuestras casas para que luego se [1] .... reciclar o reutilizar, [2] .... aportando nuestro granito de arena para que se [3] .... la naturaleza y la [4] .... las generaciones futuras. Es necesario que nuestros hijos [5] .... a reciclar; para ellos es como un juego, pero es importante que [6] .... el hábito del reciclaje cuanto antes porque si lo hacen desde pequeños, no creo que [7] .... de hacerlo en el futuro. De momento, mis hijos ya saben que, por ejemplo, el envase del yogur, la lata del refresco o el brik del zumo [8] .... que ir a la bolsa amarilla, y nunca se olvidan de depositarlos ahí.

Para que [9] .... la relación que hay entre reciclar y preservar el planeta, siempre que hacemos excursiones al campo, a la montaña o a la playa, les explico que tienen la gran suerte de disfrutar de la naturaleza porque la cuidamos entre todos y que si no lo hacemos nosotros, nadie vendrá a hacerlo. Me parece fundamental, para que [10] .... respetuosos con su entorno y [11] .... cuidarlo, que [12] .... la relación directa que hay entre la preservación del entorno natural y los hábitos diarios como reciclar, no despilfarrar agua, consumir con responsabilidad o apagar las luces de casa cuando no son necesarias.

Adaptado de https://www.ecoembes.com/es/planeta-recicla/blog/el-futuro-del-planeta-depende-de-las-generaciones-del-manana

11 Marca los usos del subjuntivo que han aparecido en las actividades 9 y 10.

☐ Expresar sentimientos. ☐ Expresar hipótesis. ☐ Expresar opinión.
☐ Expresar causa. ☐ Expresar finalidad. ☐ Expresar valoración.

12 Fíjate en la imagen y responde a las preguntas en tu cuaderno siguiendo el modelo.

▶ *¿Hay algo que sea de papel?*
▷ *Sí, hay una cosa que es de papel, la bolsa.*

1. ¿Hay algún objeto que sirva para beber?
2. ¿Ves alguna cosa que usemos para hablar?
3. ¿Hay algún objeto que cueste mucho dinero?
4. ¿Ves algún objeto que tenga asas?
5. ¿Hay algo que sea de piedra?
6. ¿Ves alguna cosa que utilicemos para cocinar?
7. ¿Hay algo que funcione con motor?
8. ¿Ves algún objeto que corte?
9. ¿Hay alguna cosa que tenga tapa?
10. ¿Ves algo con lo que nos vistamos?

13 [22] Escucha la siguiente entrevista a Ángel Durández, presidente de la Oficina de Justificación de la Difusión (OJD), sobre la crisis de la prensa e indica si las siguientes afirmaciones son verdaderas o falsas.

1. No existe ningún tipo de mejora económica en el sector de la prensa. .... V F
2. La prensa del corazón se vende más que nunca. .... V F
3. Muchos periódicos solo saldrán impresos durante el fin de semana. .... V F
4. Imprimir y distribuir no es lo más costoso para los periódicos. .... V F
5. Los editores no piensan dejar de editar en papel. .... V F
6. Para el entrevistado no existe ningún conflicto entre papel e internet. .... V F
7. La prensa escrita debería ocuparse más de la noticia inmediata. .... V F
8. Es imposible que surjan nuevos periódicos en papel. .... V F

13a [22] Vuelve a escuchar y escribe todos los marcadores de hipótesis que se dicen en la entrevista.

....
....

13b De los marcadores que has anotado, ¿cuales pueden construirse con indicativo y subjuntivo? Subráyalos.

13c ¿Cuál es el futuro de la prensa escrita según tu opinión? Escribe tus hipótesis en tu cuaderno. ¿Estas de acuerdo con Ángel Durández?

14 Relaciona las columnas para formar los diez principios del comercio justo.

1. Oportunidades
2. Transparencia
3. Prácticas
4. Pago
5. No al trabajo infantil,
6. No a la discriminación, igualdad
7. Buenas condiciones
8. Desarrollo
9. Promoción
10. Respeto

a. comerciales justas.
b. de trabajo.
c. para productores desfavorecidos.
d. no al trabajo forzoso.
e. y responsabilidad.
f. de capacidades.
g. al medioambiente.
h. del comercio justo.
i. de género y libertad de asociación.
j. justo.

15 Lee el texto sobre el comercio justo e inserta los siguientes fragmentos en el lugar correspondiente.

a. elaborada con ingredientes naturales extraídos mediante procesos respetuosos con el medioambiente
b. de que el producto que tienes en tus manos es, efectivamente, de comercio justo
c. punto de encuentro entre los productos y los consumidores
d. que hacen que los pequeños productores puedan exportar sus productos
e. con un sistema de garantías que asegura que se cumpla con los criterios y principios del comercio justo
f. de forma artesanal y tradicional y que se comercializan a través de diferentes ONG

Lo que debes saber del comercio justo

Dentro de la cadena de producción del comercio justo participan diferentes agrupaciones de personas: productores y productoras que trabajan con las materias primas, organizaciones comercializadoras [1] ☐, organizaciones importadoras, tiendas de comercio justo, [2] ☐, o certificadoras que garantizan que los productos cumplen con todas las condiciones que exige el comercio justo.

■ **¿Cómo se garantiza que las personas que elaboran lo que consumimos reciben un salario justo por su trabajo?**

La Organización Mundial de Comercio Justo, la WFTO (World Fair Trade Organization), cuenta [3] ☐.

■ **¿Cómo saber si un producto es de comercio justo?**

Tanto si compras en una tienda solidaria como en un supermercado, es normal que quieras una garantía [4] ☐. Para ello, se han creado una serie de sellos que confirman la procedencia: el más habitual es el de la Organización Internacional de Certificación de Comercio Justo.

■ **¿Qué tipo de productos podemos encontrar en este tipo de tiendas?**

Los productos de alimentación son los más conocidos: café, arroz, cacao…, pero la oferta es mucho más amplia: hay cosmética natural, [5] ☐; moda sostenible, pues sus marcas confeccionan prendas solo con materias primas naturales o recicladas y velan por que en el proceso se cumplan ciertas condiciones sociales y medioambientales. También existe un gran mercado de productos elaborados [6] ☐; son productos que, por sus características, se suelen comprar para hacer regalos.

Adaptado de https://www.tierramadre.org/blog/que-es-el-comercio-justo-y-cuales-son-sus-objetivos/

Apéndices

Gramática y comunicación

Pretérito perfecto, indefinido e imperfecto (repaso)

- Usamos el **pretérito perfecto** para hablar de acciones **terminadas** en un **tiempo aún no terminado** o que percibimos como presente. También se usa para hablar de **experiencias** en general, sin una idea específica de tiempo:

  *Hoy **he llegado** a la oficina a las nueve y **he salido** a las cuatro de la tarde.*
  *¿**Has estado** en Egipto? Yo no, pero tengo muchas ganas de ir.*

- Usamos el **pretérito indefinido** para hablar de acciones **terminadas** en un **tiempo** también **terminado**. Sirve para contar anécdotas, hechos históricos o acontecimientos:

  *El año pasado **fuimos** de vacaciones a Perú, nos **encantó**.*
  *La guerra civil española **empezó** en 1936 y **terminó** en 1939.*

  Como puedes ver, ambos pretéritos expresan **acciones terminadas**. El perfecto lo hace en relación con el presente, y el indefinido, con el pasado. Usamos estos tiempos para la **narración** de hechos pasados:

  *Esta mañana **he visto** a Silvia./Ayer por la mañana **vi** a Silvia.*

> Fíjate:
> Cuando se quiere dar mayor viveza a una narración, se puede usar el presente histórico:
> *La guerra civil española **empieza** en 1936 y **termina** en 1939.*

- El **pretérito imperfecto** presenta la acción en un tiempo pasado, pero no especifica el comienzo o el final de la misma, solo indica su **desarrollo**. Por eso el imperfecto es el tiempo que usamos para **describir** en el pasado, para hablar de las **circunstancias** que rodean los hechos:

  *La habitación **era** pequeña, **tenía** un balcón que **daba** a un jardín.*
  *Como **era** temprano, **había** poca gente en el supermercado.*
  *Cada día **salíamos** de casa a la misma hora y **cogíamos** el mismo autobús.*
  ***Estaba** en la farmacia cuando llegaste, por eso no **había** nadie en casa.*

RAE

GRAMÁTICA

- La oposición pretérito perfecto/indefinido tal y como la has estudiado aquí se da en la mayor parte de España, noroeste de Argentina, costa peruana, Bolivia y parte de Colombia.

- En México, Centroamérica y la zona caribeña se usa el pretérito perfecto, pero con un valor diferente, pues se utiliza solo si **las acciones no están terminadas** en presente (es decir, se tiene en cuenta el aspecto del verbo —si se trata de una acción acabada o no—, no solo el tiempo en que sucede):
  *Los años pasaron y la edición se agotó, pero el interés por el tema no se **ha terminado**.*
  En el resto de los casos, se usa el pretérito indefinido para indicar que la acción está **terminada** independientemente del tiempo en el que sucede: *Hoy vino tarde, trajo un libro y **habló** de la muerte.*

- En Chile, la mayor parte de Argentina, el noroeste de España y las islas Canarias se prefiere el pretérito indefinido independientemente de su valor aspectual o temporal: *Mañana vuelvo, y me voy a olvidar de que hoy **estuve** acá [...].*

Pretérito pluscuamperfecto de indicativo

- El **pretérito pluscuamperfecto** de indicativo es un tiempo del **pasado** que se forma con el **pretérito imperfecto** del verbo *haber* y el participio del verbo principal:

yo	**había**	
tú	**habías**	
él, ella, usted	**había**	hablado
nosotros/as	**habíamos**	comido
vosotros/as	**habíais**	vivido
ellos, ellas, ustedes	**habían**	

- El pretérito pluscuamperfecto se usa para hablar de una acción terminada que precede a otra acción también terminada; es decir, es un **pasado anterior a otro pasado**:

  *Cuando llegué a casa, tú ya **habías salido**.*
  (La acción de salir es anterior a la de llegar).
  *No fui al cine con ellos porque ya **había visto** la película.*
  (La acción de ver es anterior a la de ir).

- También sirve para hablar de una **experiencia** que se tiene **por primera vez**:

  *Nunca antes **había probado** un plato tan picante como este.*

- Por último, se usa para expresar la **inmediatez** de dos acciones en el pasado:

  *Le pedí que viniera a verme y, a la media hora, ya **había llegado**.*

Recuerda:
- Hay algunos participios irregulares: *abierto, cubierto, dicho, escrito, hecho, muerto, puesto, resuelto, roto, satisfecho, visto, vuelto*...
- También son irregulares los participios de verbos derivados de estos, como *descubierto, deshecho, previsto, propuesto*...
- El participio es invariable en género y número: *él **había** dicho, ella **había** dicho, ellos **habían** dicho*...
- Con los verbos reflexivos, el pronombre se coloca delante del verbo: *me había peinado, te habías levantado, se había dormido*...

Estilo indirecto o discurso referido

- Cuando contamos lo que ha dicho otra persona podemos repetir literalmente esas palabras *(María dijo: "Tengo hambre")*, aunque lo normal es usar el **estilo indirecto**, que nos permite matizar, resumir o dar una interpretación subjetiva a ese mensaje.

- En el estilo indirecto se producen **cambios gramaticales** que afectan a los pronombres, a los demostrativos, a los tiempos verbales... Fíjate en estos ejemplos:

  "Ese libro es mío". ❯ *Dijo que ese/**aquel** libro **era** suyo.*
  "Nos sentamos aquí". ❯ *Llegaron y dijeron que **se sentaban allí**.*

- En cuanto a los cambios verbales, estos se producen fundamentalmente cuando el verbo principal *(decir, preguntar, exclamar, afirmar, asegurar...)* está en pasado, es decir, cuando cambia el marco temporal. Estos son los más comunes:

  - presente ❯ pretérito imperfecto: *"Son las once".* ❯ *Dijo que **eran** las once.*
  - pretérito perfecto ❯ pretérito perfecto/pluscuamperfecto:
    "Hemos llegado a tiempo". ❯ *Han asegurado que **han llegado/habían llegado** a tiempo.*
  - pretérito indefinido ❯ pretérito pluscuamperfecto: *"Sí, me llamó Juan".* ❯ *Afirmó que le **había llamado** Juan.*

Fíjate:
Cuando el verbo principal está en pretérito perfecto, este se refiere al presente o al pasado:
"Me acuesto, estoy cansada". ❯ ***Ha dicho** que se **acuesta** porque **está** cansada.*
***Ha dicho** que se **acostaba** porque **estaba** cansada.*

Localizar y describir un lugar

- Recuerda que para **localizar y describir un lugar** se usan principalmente los verbos *ser, estar* y *tener*. Además, si quieres usar un lenguaje más formal o académico, puedes utilizar las siguientes expresiones:

  - **Se halla/Se encuentra/Se sitúa/Está situado(a)/Discurre** (referido a un río)
  - **Va desde... hasta...**
  - **Tiene una altitud de X metros (m)/una longitud de X kilómetros (km)/una extensión de X kilómetros cuadrados (km²)**

- Además, en este tipo de descripciones es muy frecuente el uso del **superlativo**:

  *Es el pico **más** alto **del** país.*
  *Es la isla **más** grande **del** archipiélago.*
  *Este puente colgante está considerado una de las obras de ingeniería **más** importantes **de** la región.*

Presentar un trabajo ante una audiencia

- Para **destacar un elemento del discurso**, puedes usar:
  - sobre todo/en concreto/en particular/ especialmente/concretamente

    *Es una isla muy montañosa, **sobre todo** al sur.*

  - *Es importante* + infinitivo

    ***Es importante** decir que la playa está a solo dos kilómetros.*

- Para **introducir un nuevo tema**:
  - en cuanto a/respecto a/por otra parte/ a continuación

    *En **cuanto a** las islas, la mayor es Mallorca.*

- Para **interrumpir**, hacer una pregunta o pedir una aclaración:
  - Un momento, **¿puedo decir una cosa?**
  - **(Solo) una cosa…**
  - Perdona/Lo siento, pero **¿puedo hacer una pregunta/decir algo?**

- Si no se desea ser **interrumpido**:
  - Por favor, **déjame terminar.**
  - **Solo un minuto** (por favor).

Los números ordinales a partir del 10.º

- Los números **ordinales** indican la posición que ocupa un elemento dentro de una serie ordenada. Estos son los ordinales correspondientes a los cardinales 11-20:

  - 11.º undécimo/a
  - 12.º duodécimo/a
  - 13.º decimotercero/a
  - 14.º decimocuarto/a
  - 15.º decimoquinto/a

  - 16.º decimosexto/a
  - 17.º decimoséptimo/a
  - 18.º decimoctavo/a
  - 19.º decimonoveno/a
  - 20.º vigésimo/a

  *El nadador chileno quedó en **undécima** posición, y el cubano, en **decimosexta**.*

- Coloquialmente solo se usan los ordinales del 1.º al 10.º. Para el resto de los números ordinales se usan los correspondientes números cardinales:

  *El bisabuelo de Felipe vi **(sexto)** era Alfonso xiii **(trece)**.*
  *El departamento de deportes está en la séptima planta y el de tecnología en la **doce**.*

Unidad 2: EnREDados

Presente de subjuntivo regular (repaso)

El **presente de subjuntivo regular** tiene las siguientes terminaciones:

	Trabajar	Comer	Escribir
yo	trabaje	coma	escriba
tú	trabajes	comas	escribas
él, ella, usted	trabaje	coma	escriba
nosotros/as	trabajemos	comamos	escribamos
vosotros/as	trabajéis	comáis	escribáis
ellos, ellas, ustedes	trabajen	coman	escriban

 Recuerda:
Los verbos en *-er* e *-ir* tienen las mismas terminaciones en presente de subjuntivo.

Presente de subjuntivo irregular (repaso)

- Las formas irregulares en presente de subjuntivo se construyen a partir de las formas irregulares en presente de indicativo con algunos cambios.

- Verbos con **irregularidad vocálica**:

Pensar e › ie	Sentir e › ie + e › i	Encontrar o › ue	Dormir o › ue + o › u	Pedir e › i
piense	sienta	encuentre	duerma	pida
pienses	sientas	encuentres	duermas	pidas
piense	sienta	encuentre	duerma	pida
pensemos	sintamos	encontremos	durmamos	pidamos
penséis	sintáis	encontréis	durmáis	pidáis
piensen	sientan	encuentren	duerman	pidan

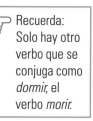

Recuerda:
Solo hay otro verbo que se conjuga como *dormir*, el verbo *morir*.

- Los verbos que cambian e › ie y que terminan en -*ir* cambian también e › i en *nosotros/as* y *vosotros/as*: *sintamos, sintáis*.

- Los verbos *dormir* y *morir*, además del cambio o › ue, cambian o › u en *nosotros/as* y *vosotros/as*: *durmamos, durmáis, muramos, muráis*.

- Los verbos que cambian e › i son irregulares en todas las personas.

- Los verbos que tienen irregular la **persona yo** del presente de indicativo también son irregulares en presente de subjuntivo, pero en todas las personas:

- hacer › **hago** › **haga, hagas, haga, hagamos, hagáis, hagan**.

- Otros verbos: construir › **construya**; poner › **ponga**; caer › **caiga**; conducir › **conduzca**...

- Algunos verbos tienen una **irregularidad propia** en este tiempo:

- estar › **esté, estés, esté, estemos, estéis, estén**
- haber › **haya, hayas, haya, hayamos, hayáis, hayan**
- saber › **sepa, sepas, sepa, sepamos, sepáis, sepan**
- ser › **sea, seas, sea, seamos, seáis, sean**
- ir › **vaya, vayas, vaya, vayamos, vayáis, vayan**
- ver › **vea, veas, vea, veamos, veáis, vean**

- Hay formas verbales, tanto regulares como irregulares, que sufren cambios ortográficos para conservar el sonido del verbo en infinitivo: *seguir › siga; cocer › cueza; recoger › recoja; buscar › busque*...

> Recuerda:
> El subjuntivo se usa en estructuras que sirven para dar **consejos** y hacer **recomendaciones**, expresar **permiso** y **prohibición**, expresar **deseos** o hacer **peticiones**:
> *Te **aconsejo que vayas** a ver a Carla y hables con ella.*
> *Vale, salid, pero recordad **está prohibido que volváis** después de las diez.*
> *Marta **espera que** Juan **vuelva** antes de Navidad.*
> *Lola me **ha pedido que** la **ayude** a pintar su casa.*

El imperativo afirmativo y negativo regular e irregular (repaso)

- **Formas regulares**:

	Hablar	Leer	Abrir
tú	habla	lee	abre
usted	hable	lea	abra
vosotros/as	hablad	leed	abrid
ustedes	hablen	lean	abran

- **Irregularidades vocálicas**:
    - encender (e > ie): enc**ie**nde, enc**ie**nda, encended, enc**ie**ndan
    - colgar (o > ue): c**ue**lga, c**ue**lgue, colgad, c**ue**lguen
    - jugar (u > ue): j**ue**ga, j**ue**gue, jugad, j**ue**guen
    - seguir (e > i): s**i**gue, s**i**ga, seguid, s**i**gan
    - huir (i > y): hu**y**e, hu**y**a, huid, hu**y**an

- **Otras irregularidades**:

Hacer	Poner	Venir	Tener	Ser
haz	**pon**	**ven**	**ten**	**sé**
haga	**ponga**	**venga**	**tenga**	**sea**
haced	poned	venid	tened	sed
hagan	**pongan**	**vengan**	**tengan**	**sean**

Decir	Salir	Ir	Oír
di	**sal**	**ve**	**oye**
diga	**salga**	**vaya**	**oiga**
decid	salid	id	oíd
digan	**salgan**	**vayan**	**oigan**

> La forma *vosotros/as* es siempre regular en imperativo afirmativo.

- Como has visto, el imperativo es un modo verbal que solo tiene dos formas propias: las formas *tú* y *vosotros/as* del imperativo afirmativo. Para las personas *usted* y *ustedes* y para formar el **imperativo negativo** se utilizan las formas correspondientes del presente de subjuntivo:

    Rellene usted primero el formulario y luego **envíelo** a la dirección indicada.
    Por favor, **pregunten ustedes** a un policía, él podrá ayudarles.
    No vengas antes de las tres porque no estaré.
    No salgáis de casa sin coger un paraguas.

- El imperativo se usa para dar **instrucciones, órdenes, consejos** o **permiso**:

    Conecta primero la impresora, luego *enciende* el ordenador.
    Sal inmediatamente de aquí.
    Visita la exposición, te va a encantar.
    Coge mi coche, yo no lo necesito hoy.

> Recuerda que en el imperativo afirmativo los pronombres se ponen **detrás** del verbo formando una sola palabra con él, mientras que en el imperativo negativo los pronombres se colocan **delante** del verbo, como ocurre con la mayoría de los tiempos verbales:
>
> ▶ *¿Qué hago con el archivo?*
> ▷ *Adjúntalo* al mensaje y *mándamelo*, pero **no me lo envíes** al correo del trabajo, no lo miro los fines de semana.

RAE

GRAMÁTICA

Recuerda que en las zonas voseantes de América el imperativo tiene una forma propia para la persona *vos* (hablá , bebé , abrí , empezá , volvé , elegí , tené , hacé , poné , vení , salí , decí …):
Empezá vos, por favor./*Comé, comé, está muy bueno.*

Gramática y comunicación

Responder a una llamada en el trabajo y pedir información

- Para responder a una **llamada** en el **trabajo**, podemos usar:
    - Departamento y/o nombre de la **empresa** + saludo + *le atiende* + nombre; *¿dígame?/¿en qué puedo ayudarle?*
    Departamento de Servicio Técnico de Novaltel, buenos días, le atiende María; ¿dígame?
- Para **pedir información**, usamos:
    - *¿Podría decirme si* + presente?
    - *Quería saber si* + presente
    ¿Podría decirme si mañana las oficinas estarán abiertas?

Justificar un consejo

Para ser más convincentes, introducimos una **justificación** de nuestros consejos o instrucciones con estas estructuras:

- *Si* + objetivo, consejo

    Si necesitas aprender rápidamente el idioma, te recomiendo que hagas un curso intensivo.

- Consejo, *así* + consecuencia

    Te aconsejo que cojas un taxi, así llegarás antes a la cita.

Unidad 3: Un poco de educación

Usos del subjuntivo (1): expresar deseos y preferencias

- Para expresar **deseos** y **preferencias** se usan los verbos *querer, desear, esperar, tener ganas de* o *preferir* en la oración principal.
    - Si el **sujeto** de la oración principal y el de la subordinada **son diferentes**, estos verbos van seguidos de *que* + **subjuntivo**:
    ¿No queréis que salgamos a dar una vuelta más tarde?
    Te deseo que tengas un buen viaje.
    No tengo ganas de que vengan, prefiero que vayamos nosotras.
    - Si el **sujeto** de las dos oraciones **es el mismo**, entonces estos verbos van seguidos de **infinitivo**:
    Luisa espera vernos esta tarde.
- También se usa la interjección *ojalá (que)* seguida de subjuntivo:
    ¡Ojalá (que) esta tarde no llueva y podamos ir a la playa!

Fíjate:
- Existen muchas expresiones que sirven para manifestar buenos deseos a otra/s persona/s y que se construyen con *que* + **presente de subjuntivo**:

¡Que descanses!	*¡Que te vaya bien!*	*¡Que tengas buen viaje!*	*¡Que te mejores!*
¡Que lo pases bien!	*¡Que seas feliz!*	*¡Que cumplas muchos más!*	*¡Que aproveche!*

    Como ves, no es necesario expresar el verbo principal *(deseo, espero…)* porque se sobrentiende.

- Estas expresiones funcionan como fórmulas sociales fijas y suelen escribirse entre signos de exclamación.

 COMUNICACIÓN

En Hispanoamérica, algunas de estas expresiones son algo diferentes.
- Que la pases bien: *Sophie, si te vas a quedar aquí unos días es mejor que la pases bien, ¿no?*
- Que te vaya bonito (México): *Ojalá que te vaya bonito, ojalá que se acaben tus penas.*
- Que los cumplas feliz (Argentina): *Germán entra con una pequeña torta con 40 velitas encendidas y canta "Que los cumplas feliz".*
- Que te alivies: *Mami, espero que te alivies para que podamos estar juntas y vayamos a España de vacaciones.*

Usos del subjuntivo (2): dar consejos y hacer recomendaciones

- Para **dar consejos** y **hacer recomendaciones** se pueden usar los verbos *aconsejar, recomendar* y *sugerir* seguidos de **infinitivo** o **subjuntivo**:

  Te recomiendo instalar/que instales la aplicación.
  *Mi jefa me aconseja **hacer/que haga** una pausa a media mañana.*
  *Os sugerimos **ir/que vayáis** a la exposición; os va a encantar.*

- También puedes usar las siguientes estructuras:

Es	*conveniente* *recomendable* *aconsejable*	+ **infinitivo**, para hablar de **acciones o situaciones generales**: *Es aconsejable dormir ocho horas al día.* + *que* + presente de **subjuntivo**, para **personalizar el consejo**: *Chicos, es conveniente que terminéis el ejercicio ya.*

Usos del subjuntivo (3): hacer peticiones

Para **hacer peticiones** se usan los verbos *pedir, rogar* y *suplicar* seguidos de *que* + **subjuntivo**:

*Os pido, por favor, **que recojáis** la mesa y **que freguéis** los platos.*
*Las autoridades **ruegan que se cumplan** todas las normas.*

> Fíjate:
> Los verbos *rogar* y *suplicar* se usan en situaciones muy formales o bien cuando queremos pedir algo con mucho énfasis:
>
> *Le **ruego** que me explique su problema.*   *¡Te **suplico** que te calles, por favor!*

Usos del subjuntivo (4): dar órdenes, dar permiso y prohibir

- Para **dar órdenes** podemos usar los verbos *mandar* y *ordenar* y para **dar permiso y prohibir**, los verbos *permitir, dejar* y *prohibir*. Como en otros casos que hemos visto, pueden ir seguidos de **infinitivo** o **subjuntivo**:

  *Me ha mandado **cortar/que corte** el césped.*
  *Te dejo **coger/que cojas** mi coche, pero solo hoy.*
  *¿Me permites **usar/que use** tu móvil? El mío está sin batería.*
  *Os prohíbo **salir/que salgáis** de clase hasta la hora del recreo.*

- En carteles es frecuente el uso de fórmulas impersonales: *se prohíbe/permite, está permitido/prohibido* seguidas de **infinitivo**:

  (Está)Prohibido fumar en cualquier lugar del edificio.
  *Solo **se permite llevar** en cabina equipaje de mano.*

> Fíjate:
> - El verbo *ordenar* se usa en situaciones muy especiales: cuando la persona que lo usa está muy enfadada y tiene una relación jerárquica de superioridad con el interlocutor (los padres con sus hijos, por ejemplo). En otros contextos, su uso puede resultar muy descortés y ofensivo.
> - Recuerda que para dar órdenes se usa principalmente el **imperativo**:
>
>   ***Sal** de aquí ahora mismo.*   ***Terminen** ya el examen.*

Pedir, dar y agradecer un consejo

- Para **pedir un consejo** puedes usar las siguientes expresiones:
  - ¿Puedes aconsejarme?
  - ¿Qué me recomiendas/aconsejas?
  - ¿A ti qué te parece?
  - ¿Qué puedo hacer?

Gramática y comunicación

- Recuerda los verbos y expresiones que has aprendido para **dar consejos**:
  - *Te aconsejo/recomiendo/sugiero* + infinitivo/*que* + subjuntivo
  - *Es conveniente/aconsejable/recomendable* + infinitivo/*que* + subjuntivo

- Para **dar las gracias** puedes usar expresiones como:
  - Muchas gracias por todo/tu consejo.
  - Te agradezco mucho tu ayuda.
  - Me has ayudado mucho, ¡gracias!

Interaccionar en una conversación

- Para indicar que **sigues con interés** lo que te cuentan, puedes usar:
  - Sí, sí, claro. / Sí, ya.
  - ¿De verdad? / ¿En serio?
  - ¡Vaya!

- Para **controlar la atención** de la persona con la que hablas, puedes decir:
  - Mira… / Oye…
  - ¿No? / ¿Sí?
  - ¿Vale? / ¿Me entiendes?

Expresar preferencia

Además del verbo *preferir*, para decir que algo nos parece mejor podemos usar:

- *Me gusta/interesa más que* + presente de subjuntivo

  Me gusta más que haya profesores en línea.

  ¿No te interesa más que haya material descargable?

- Lo que más/menos me gusta/interesa es/son…

  Lo que más me gusta es el foro.

  Lo que menos me interesa son los talleres.

Unidad 4: ¡Súmate!

Uso de los pronombres personales de segunda persona

RAE

COMUNICACIÓN

- Tú y vos frente a usted . *Tú* es la forma empleada en España y en muchas zonas de América para el tratamiento informal o de confianza. El pronombre vos se usa en América mayoritariamente en el Cono Sur y en amplias zonas de América Central. En algunos países, como Chile, vos alterna con tú :

  ¿Qué hace un tipo como tú despierto a estas horas?

- Usted frente a tú y vos . *Usted* es la forma más empleada para el tratamiento formal. El pronombre usted implica cierto distanciamiento, cortesía y formalidad:

  ¿Cómo se puede uno poner en contacto con usted aunque sea por correo electrónico?

- El mismo valor formal presenta la forma de plural ustedes frente a vosotros/as en la mayor parte de España; en cambio, en todo el territorio americano y, dentro de España, en Andalucía occidental y Canarias, ustedes es la única forma empleada para dirigirse a varios interlocutores, tanto en el tratamiento formal como en el informal.

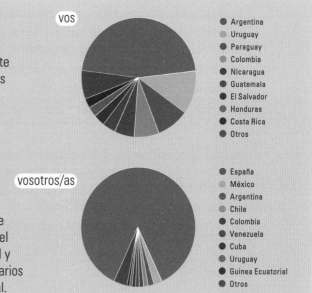

vos
- Argentina
- Uruguay
- Paraguay
- Colombia
- Nicaragua
- Guatemala
- El Salvador
- Honduras
- Costa Rica
- Otros

vosotros/as
- España
- México
- Argentina
- Chile
- Colombia
- Venezuela
- Cuba
- Uruguay
- Guinea Ecuatorial
- Otros

Verbos de pensamiento + indicativo/subjuntivo

- Los verbos *pensar, creer* y *parecer* se construyen con *que* + **indicativo** cuando son **afirmativos**:

  Pienso que se malgasta demasiada energía.
  Creemos que es necesario reciclar más y mejor.
  A Juan le parece que usamos demasiados envases de plástico.

- Estos verbos se construyen con *que* + **subjuntivo** si van en forma **negativa**. En este caso, se usa el subjuntivo para **rebatir una opinión** expresada anteriormente o que se sobrentiende:

  No pienso que se haga todo lo necesario para resolver el problema.
  No creo que la solución sea subir el precio de los combustibles.
  No nos parece que la situación esté empeorando.

> Fíjate:
> - Para que el verbo subordinado se conjugue en subjuntivo, la negación tiene que estar en la oración principal:
>   *Creo que no tienes razón.*   *No creo que tengas razón.*
> - Si el verbo de la oración principal va en **imperativo negativo** o es una **pregunta**, se usa **indicativo** en la oración subordinada:
>   *No creas que me has convencido.*   *¿No te parece que Alberto ha adelgazado demasiado?*

- Otros verbos de pensamiento *(opinar, saber, imaginar, recordar, suponer…)* no se suelen usar en forma negativa si van en presente de indicativo porque sirven para expresar un pensamiento u opinión sin contraponerlos a ningún otro:

  Opino que debemos tomar medidas inmediatamente.   *Recuerdo que hablamos de esto en otra reunión.*
  Imaginamos que todos estabais de acuerdo.   *Supongo que la solución tiene que ser global.*

Construcciones para expresar juicios de valor

- Para **valorar un hecho** de manera **general** usamos estas estructuras:

  - *(No) Es/Me parece* + adjetivo/sustantivo **valorativo** + **infinitivo**
    Es/Me parece importante cuidar el medioambiente.
    Es/Me parece una irresponsabilidad no controlar el consumo de agua.

  - *Está/Me parece* + *bien/mal* + **infinitivo**
    Está/Me parece mal usar bolsas de plástico.

- Para **valorar un hecho personalizando** usamos estas estructuras:

  - *(No) Es/Me parece* + adjetivo/sustantivo **valorativo** + *que* + **subjuntivo**
    Es/Me parece interesante que el Gobierno subvencione la instalación de placas solares en los edificios.
    Es/Me parece un horror que derroches el agua cuando te lavas los dientes.

  - *Está/Me parece* + *bien/mal* + *que* + **subjuntivo**
    Está/Me parece bien que reduzcamos el consumo de gasolina.

  Gramaticalmente, hay un cambio de sujeto que obliga al uso del subjuntivo, como ya has visto en otros casos.

> Fíjate:
> *Ser* se construye con los adjetivos *bueno/malo*, y *estar*, con los adverbios *bien/mal*:
>   *Es malo no ahorrar energía./Está mal no ahorrar energía.*

- Algunos adjetivos y sustantivos **valorativos** son:

Adjetivos valorativos	
bueno/malo	sorprendente
importante	intolerable
increíble	interesante
escandaloso	estupendo
justo/injusto	(…)

Sustantivos valorativos	
una vergüenza	una tontería
una pena	un desastre
un horror	un rollo
una buena/mala noticia	un sueño
una suerte	(…)

Expresar certeza

- Cuando queremos dar nuestra opinión expresando **certeza** usamos las siguientes estructuras:

  - *Es cierto/obvio/verdad/evidente/indiscutible…*
  - *Está visto/demostrado/claro…* | *+ que +* **indicativo**

  > *Es evidente que nuestra huella ecológica es devastadora.*
  > *Está demostrado que un consumo responsable mejora nuestro medioambiente.*

- Estas estructuras se construyen con **subjuntivo** cuando van **en forma negativa**. En este caso, generalmente se usan para contradecir una opinión anterior o sobrentendida:

  > *No está tan claro que el cambio climático sea irreversible.*

Introducir una opinión

Para introducir tu **opinión** o la de otras personas puedes usar las siguientes estructuras:

- *Para* + pronombre personal *(mí, ti, él, ella…)*/nombre propio…
  > *Para mí/Luis es necesario que todos nos concienciemos.*

- *A mí/Pedro… me/le… parece que…*
  > *A mí/A Pedro me/le parece increíble que no se enseñe a reciclar en los colegios.*

- *Según* + pronombre personal *(tú, él, ella…)*/nombre propio/*mi idea/tu criterio/lo que ha dicho…*
  > *Según Marina Ochoa, no es cierto que las empresas produzcan vertidos ilegales.*

- *En mi/tu/su opinión…*
  > *En tu opinión, ¿no es necesario buscar una solución?*

- *Desde mi/tu/su punto de vista…*
  > *Desde mi punto de vista, la situación ha mejorado mucho en los últimos meses.*

Expresar acuerdo o desacuerdo con una opinión

- Habitualmente se utilizan las siguientes expresiones con el verbo *estar* para dejar clara **nuestra posición** concreta frente a una opinión:

  - **(No) Estar de acuerdo con…**
    > *Estoy de acuerdo con lo que ha dicho antes Marisa. Tiene toda la razón.*

  - **(No) Estar a favor de…**
    > *Yo no estoy a favor de subir los precios. Me parece que nos perjudicará.*

  - **(No) Estar en contra de…**
    > *No estamos en contra de todas las decisiones, pero algunas nos parecen discutibles.*

- Para expresar **acuerdo parcial** con una opinión se utilizan estas expresiones:

  - **No estoy totalmente de acuerdo con…**
    > *No estoy totalmente de acuerdo con lo que dices.*

  - **Estoy de acuerdo en parte, pero…**
    > *Marta está de acuerdo en parte, pero quiere tener más información.*

  - **Estoy a favor, pero…**
    > *Estoy a favor, pero no creo que sirva de nada.*

Expresar gustos, intereses y preferencias

- Recuerda que los verbos *gustar*, *encantar* e *interesar* se construyen casi siempre en tercera persona, acompañados de los pronombres de objeto indirecto. Esta construcción especial se conjuga en singular si a continuación hay un **sustantivo singular** y en plural si el **sustantivo** es **plural**:

  Me gusta/encanta/interesa la entrevista que le han hecho a este actor.
  Me gustan/encantan/interesan las entrevistas que hace esta periodista.

  – Cuando esta construcción va seguida de un verbo, se usa el **infinitivo** si las acciones se refieren al mismo sujeto y *que* + **subjuntivo** si las acciones se refieren a sujetos diferentes:

    *Me gusta/encanta/interesa **ver** las películas en versión original.*
    *Me gusta/encanta/interesa **que hablemos** de este tema.*

- El verbo *preferir* se construye como la mayoría de los verbos en español:

  *Silvia **prefiere estas plantas** para el dormitorio, necesitan menos luz.*
  ***Prefiero ver** las series en mi portátil.*
  *¿Quién de vosotros **prefiere que vayamos** a cenar fuera?*

> **Recuerda:**
> Los verbos *gustar* e *interesar* se pueden graduar en intensidad con *muchísimo, mucho, bastante, no... demasiado, no... mucho, no... nada*; en cambio el verbo *encantar* expresa el grado máximo de intensidad, por lo que no se puede graduar. Se usa solo:
> ▶ *No me gusta **demasiado** el sabor de este pescado, es muy fuerte.*
> ▷ *Pues a mí me gusta **muchísimo**, ¡me encanta!*

Verbos de sentimiento y emoción que se construyen como *gustar*

Muchos de los verbos que expresan **emociones, sentimientos y sensaciones** se construyen igual que *gustar*, es decir, en tercera persona y acompañados de los pronombres de objeto indirecto, por ejemplo: *aburrir, fastidiar, preocupar, agradar, importar, molestar, sorprender, enfadar, indignar*:

*Me **molesta** que digas eso porque no es cierto.*
*Si te **preocupa** que empiecen sin ti, llama para avisar de que llegarás tarde.*
*Me **indigna** que asciendan a Pedro, tú tienes mucha más experiencia.*

Locuciones verbales con *dar* y *poner* para expresar sentimientos y emociones

- Las locuciones *dar* + **sustantivo** (*miedo, pena, lástima, vergüenza, rabia, asco...*) y *poner* + **adjetivo** (*triste, contento/a, furioso/a, nervioso/a...*) también expresan **sentimientos y emociones** y se construyen igual que el verbo *gustar*:

  *Me **da rabia** que me repitas todo dos veces.*
  *¿No **te da miedo** perder el trabajo?*
  *Me **da** mucha **alegría** veros de nuevo.*
  *Me **pone nervioso** que Juan hable tanto, no calla un momento.*
  *Nos **puso tristes** saber lo que te había pasado.*
  *A Eva **le pone furiosa** que el profesor la corrija.*

- Estas construcciones pueden ir seguidas de *cuando* o *si* en lugar de *que*. En este caso, el verbo que introducen va en **indicativo**. Además, el verbo *poner* se hace **reflexivo**:

  *Me **da** vergüenza **cuando** te **oigo** contar esas historias.*
  *Me **pongo** muy nervioso **cuando/si** me **llama** mi jefa.*

> **Fíjate:**
> Otras locuciones muy usadas con *dar* y *poner* son *dar igual/lo mismo* (para mostrar indiferencia) y *poner de buen/ mal humor*.

- En Paraguay se usa (hallarse) con el significado de 'encontrarse en cierto estado emocional (triste, alegre…)' o 'no encontrarse a gusto en algún sitio o situación, estar molesto':

  *Desde que la providencia me dejó viudo, **no me hallo**.*

- En el español de América es más frecuente el uso de (enojar(se)) frente a (enfadar(se)), que se usa más en el español de España:

  *Será mejor que no hagamos **enojar** a tu papá.*

Otros verbos que expresan sentimiento, emoción y estados de ánimo

- Además de los que has visto hasta ahora, hay otros verbos que expresan sentimientos y emociones en los que el sujeto es la persona que experimenta el sentimiento o la emoción, como *soportar, sentir, temer, lamentar, odiar, aguantar* o *alegrarse*:

  No soporto que hagas ruido.   *Luis siente que estés enfadada.*
  ¿Te alegras de vernos?   *Detesto este tipo de música.*
  Lamento lo que te ha ocurrido.   *Me emociono cuando veo esta foto.*

- Para expresar **estados de ánimo** se usa el verbo *estar* con las construcciones que ya conoces:

  *Estoy contento de **verte**.*
  *Estoy contento **cuando/si** nos **vemos**.*
  *Estoy contento de **que vengas** a verme.*

> Fíjate:
> Para expresar estados emocionales también se pueden usar los verbos *sentirse* o *encontrarse*:
> *Felipe **se siente/se encuentra** bastante preocupado por la situación familiar.*

Oraciones de relativo con antecedente conocido y desconocido

- Recuerda que las oraciones de relativo sirven para unir frases que tienen un elemento en común (el **antecedente**) mediante los relativos. Los más habituales son el pronombre *que* y el adverbio *donde*:

  He alquilado un piso. Tiene una terraza fantástica. ❯ *He alquilado **un piso que** tiene una terraza fantástica.*

- Cuando el antecedente es **conocido**, real, las oraciones de relativo se construyen con **indicativo**:

  *La universidad **donde** estudio está en Sevilla.*

- Sin embargo, cuando el antecedente es **desconocido**, solo conocemos sus características, preguntamos por su existencia o la negamos, estas oraciones se construyen con **subjuntivo**:

  *Busco **una casa que tenga** jardín.*
  *¿Conoces a **alguien que sepa** arreglar ordenadores?*
  *No tengo **ninguna camisa que** te valga.*

  – Para preguntar y para responder negativamente se usan los pronombres indefinidos *algo/nada, alguien/nadie*:

  ▶ *Oye, ¿conoces a **alguien que tenga** una furgoneta?*
  ▷ *Pues no, la verdad, no conozco a **nadie que tenga** una furgoneta.*

Mostrar empatía

- Para mostrar **empatía**, es decir, que entendemos y compartimos las emociones que expresan los demás, podemos usar:

  – Ya, ya.   – Sí, claro.   – Entiendo que te enfades.
  – Tienes razón.   – Sí, lo entiendo (perfectamente).   – Siento verte/que estés así.

- También puedes usar las expresiones para reaccionar que ya conoces:

  – ¡Qué alegría!   – ¡Qué desastre!   – ¡Qué susto!…

Destacar un elemento del discurso

Cuando se quiere **destacar un elemento** dentro del discurso se pueden usar estas expresiones:

- sobre todo/en concreto/en particular

    *Me gusta mucho esta ciudad, **sobre todo** el centro histórico.*
    *Nos referimos **en concreto/en particular** a lo que contó Juan ayer.*

- especialmente/principalmente

    *Me encanta el teatro, **especialmente/principalmente** el clásico.*

- *es importante* + infinitivo

    Es importante daros las gracias a todos por vuestra colaboración.

Preguntar por preferencias

Además de expresar tus preferencias con las expresiones que conoces, puedes **preguntar las preferencias de otra persona** usando estas estructuras:

- ¿Qué es lo que más/menos te gusta de…?

    ¿Qué es lo menos te gusta de vivir en el campo?

- *¿Qué te interesa más?* ¿Opción 1 + *o* + opción 2?

    ¿Qué te interesa más, venir con nosotros o irte por tu cuenta?

- ¿Cada cuánto tiempo prefieres…?

    ¿Cada cuánto tiempo prefieres limpiar?

Unidad 6: Esta es mi generación

Nexos temporales

Existen varios **nexos temporales** que establecen relaciones de **simultaneidad**, **anterioridad** o **posterioridad** entre dos o más acciones, o el **inicio** o **límite temporal** de las mismas.

- *Cuando* y *al* + infinitivo expresan relaciones de **simultaneidad** entre las acciones o **posterioridad** de una acción respecto a otra:

    *Normalmente leía el periódico **cuando** viajaba en metro.*

    Cuando <u>salí</u> de clase, <u>fui</u> al centro comercial con un amigo.
        1.ª acción   2.ª acción

    Al <u>llamarte</u>, me <u>di</u> cuenta de que el móvil no funcionaba.
        1.ª acción   2.ª acción

    - *Nada más* + infinitivo y *en cuanto* expresan una **posterioridad inmediata**:

    *<u>Supe</u> que estabas enfadado **nada más** <u>verte</u>.*
     2.ª acción   1.ª acción

    En cuanto <u>llegué</u> a la oficina, <u>fui</u> a hablar con el director.
        1.ª acción   2.ª acción

- *Mientras* indica que las acciones son **simultáneas**:

    Mientras yo tiendo la ropa, tú pon otra lavadora.

- *Después de* indica la **posterioridad** de la acción expresada por la oración principal:

    *Me <u>acosté</u> **después de** <u>hablar</u> contigo.*
        2.ª acción   1.ª acción

- *Antes de* indica la **anterioridad** de la acción expresada por la oración principal:

    Antes de <u>comer</u> fruta siempre la <u>lavo</u> bien.
        2.ª acción   1.ª acción

- *Desde que/Hasta que* indican el **inicio** y el **límite temporal** de una acción respectivamente:

    *Estuve con los niños **desde que** se fue Ana **hasta que** volvió.*

Fíjate:

Siempre que y *cada vez que* indican acciones **simultáneas o posteriores** que son **habituales**:

Siempre que puedo voy al teatro, me encanta.

Cada vez que viajo a Madrid, voy al Museo del Prado.

Oraciones temporales

- Las oraciones temporales ponen en relación dos o más acciones indicando **en qué momento** tiene lugar la acción de la oración principal.

- Con *cuando, siempre que, cada vez que, hasta que, desde que* y *en cuanto* se usa **indicativo** en **presente** y **pasado:**

  Cuando voy al centro, visito a Pedro. (El presente indica que son acciones habituales, *cuando* equivale a *siempre que*).

  Esperé a Marta hasta que llegó.

  – Para hablar de una **acción habitual** en **pasado** se usa el **pretérito imperfecto**:

  En cuanto salía del trabajo, me iba al gimnasio.

- Todos estos nexos temporales se construyen con **subjuntivo** para expresar **futuro**:

  Cuando tenga tiempo, llamaré a Natalia.   *Cada vez que me preguntes, te contestaré lo mismo.*

  – No se puede usar el futuro con estos nexos, solo el **subjuntivo**:

  Cuando ~~terminarás~~, avísame. ❯ *Cuando termines, avísame.*

  – Si *cuándo* es **interrogativo** o **interrogativo indirecto**, se puede construir con **futuro**:

  ¿Cuándo volverás a casa?   *No me has dicho cuándo volverás a casa.*

- Con *antes de* y *después de* se utiliza el **infinitivo** cuando el sujeto de las oraciones es el mismo y el **subjuntivo** si son diferentes:

  Hablaremos antes de irme./Hablaremos antes de que te vayas.

  Ordenaré mi habitación después de limpiar la cocina./Ordenaré mi habitación después de que limpies la cocina.

GRAMÁTICA

- La construcción ⸨no… hasta que (no)…⸩ indica que una acción no se produce antes de que otra suceda:

  La abuela no dejó de chillar hasta que el niño atrapó al bicho y lo metió en el bote.

  Le he dicho que no lo voy a tocar hasta que no lo ponga quien tiene la obligación de hacerlo.

  Ambas frases son correctas según indica la RAE. La segunda negación tiene un valor enfático. Esta construcción es más usual en el español de España.

- En algunas zonas de América, especialmente en México, en el área costera de Ecuador, en América Central y en Colombia, se produce el siguiente fenómeno: **se suprime la negación** delante del verbo en las oraciones con ⸨hasta⸩, por lo que el enunciado se interpreta como ⸨a partir de⸩:

  El licenciado estará disponible mañana jueves hasta las diez horas. ('A partir de las diez horas')

Futuro simple y condicional simple

- El **futuro simple** y el **condicional simple** son dos tiempos relacionados. Ambos se construyen añadiendo al infinitivo sus terminaciones o desinencias correspondientes:

Futuro simple			Condicional simple		
Hablar	**Comer**	**Vivir**	**Hablar**	**Comer**	**Vivir**
hablaré	comeré	viviré	hablaría	comería	viviría
hablarás	comerás	vivirás	hablarías	comerías	vivirías
hablará	comerá	vivirá	hablaría	comería	viviría
hablaremos	comeremos	viviremos	hablaríamos	comeríamos	viviríamos
hablaréis	comeréis	viviréis	hablaríais	comeríais	viviríais
hablarán	comerán	vivirán	hablarían	comerían	vivirían

- Los **verbos irregulares** en condicional simple son los mismos que en futuro simple:
    - caber > **cabré** > **cabría**
    - haber > **habré** > **habría**
    - poder > **podré** > **podría**
    - querer > **querré** > **querría**

    - saber > **sabré** > **sabría**
    - poner > **pondré** > **pondría**
    - salir > **saldré** > **saldría**
    - tener > **tendré** > **tendría**

    - valer > **valdré** > **valdría**
    - venir > **vendré** > **vendría**
    - decir > **diré** > **diría**
    - hacer > **haré** > **haría**

- El **condicional simple** expresa **posterioridad** respecto a un momento del **pasado** (futuro de pasado):

    "Te llamaré mañana". > *Dijo que llamaría hoy y no ha llamado.*

- También se usa para **hacer suposiciones** sobre un hecho o situación del pasado:

    Serían las once cuando llegamos, no me acuerdo bien.

- El condicional también se puede usar con **valor presente** para:

    - Hacer **peticiones con cortesía**:

        ¿Te importaría bajar la música? Es que estoy leyendo.

    - Hacer **sugerencias**:

        Deberías comer más fruta y menos dulces.

> Fíjate:
> - El condicional se puede usar para hablar de situaciones **imaginarias**:
>   *Yo no viviría nunca en un pueblo, me aburriría muchísimo.*
> - También se usa para expresar **deseos**:
>   *¡Qué hambre! Me tomaría un bocadillo.*

Comparar y acotar cantidades

- Para decir que dos elementos son **equivalentes** usamos:
    - elemento + verbo + *igual de* + adjetivo/adverbio *que...*
    Las vacaciones de este año han sido igual de divertidas que las del año pasado.
    Cocinas igual de mal que yo, reconócelo.

> Fíjate:
> En esta estructura *igual* es un adverbio y, por tanto, es invariable.

- Para **destacar un elemento** frente a todos los demás de un conjunto usamos el **superlativo relativo**:
    - *el/la/los/las* (+ sustantivo) + *más/menos* + adjetivo + *de* + grupo
    Andrés es el (chico) más simpático de la clase.
    - *el/la/los/las* (+ sustantivo) + *que* + *más/menos* + verbo + *de* + grupo
    Juan es el que menos estudia de toda la clase.

> Fíjate:
> Si el grupo se ha mencionado antes o se sobrentiende, no es necesario repetirlo:
>   *Rocío es la más alta de mis hermanas y Julia la más baja.*

- Para **acotar cantidades** usamos esta estructura:
    - *(No) más/menos de* + cantidad
    Trabaja menos de cinco horas al día y gana más de 3000 euros.

Evocar recuerdos

- Para expresar que **se recuerda** algo se usa:
    - *Recordar/Acordarse de* + sustantivo/*que...*
    Recuerdo muy bien aquella fiesta./Me acuerdo muy bien de aquella fiesta.
    Recuerdo /Me acuerdo de que ese día llovía mucho.

    - *No olvidar/No olvidarse de* + sustantivo/*que...*
    No he olvidado el/No me he olvidado del día en que nos conocimos.
    No me he olvidado de que mañana es tu cumpleaños.

- Para expresar que **no se recuerda** algo podemos usar las estructuras anteriores en forma negativa y afirmativa, respectivamente:
    No recuerdo /No me acuerdo de la chica de la que hablas.
    He olvidado /Me he olvidado de lo que me has dicho.

> Fíjate:
> La estructura *me recuerdo* es incorrecta.

Hablar de capacidades y habilidades. Expresar preferencias

• Para hablar de **capacidades y habilidades** usamos:

  – *Soy **bueno(a)/un genio/malo(a)/un desastre/(un/a) negado(a)** + para…/en …/gerundio*
  *Es **muy bueno** en trabajos manuales.*
  *Soy **un desastre** cocinando.*

  – *(No)* **Tengo facilidad** *para…*
  *Tengo mucha **facilidad para** aprender idiomas.*

  – *Se me **da/dan bien/mal/fatal…*** + sustantivo/infinitivo
  *Se me **da fatal** pintar, lo mancho todo.*

• Para expresar **preferencias**, usamos:

  – **Lo que más/menos me gusta/interesa es/son…**
  ***Lo que más** nos interesa **es** que la gente colabore con dinero.*
  ***Lo que menos** me gusta **es** tener que rellenar tantos formularios.*

Dar consejos y hacer sugerencias

• Otras fórmulas para dar consejos y hacer sugerencias son ***podría(s)/ debería(s)/tendría(s) que*** + infinitivo:
  ***Podrías/Deberías/Tendrías que** comprarte un piso, es una buena inversión.*

• También puedes usar ***yo que tú/yo en tu lugar/yo*** + condicional:
  ***Yo que tú/Yo en tu lugar** haría un curso de informática antes de buscar trabajo.*

  Con estas expresiones el hablante se pone **en el lugar del otro** para dar su recomendación; por eso, en estos casos, el condicional se construye siempre en primera persona.

Unidad 7: Todo es noticia

Perífrasis verbales. Perífrasis de infinitivo

• Una **perífrasis verbal** está formada por **dos verbos**: uno conjugado y otro en forma no personal (infinitivo, gerundio o participio) unidos frecuentemente por una **preposición** o el nexo *que*.

  El verbo conjugado aporta un valor **modal** (obligación, capacidad, probabilidad…), **temporal** o **aspectual** (comienzo de la acción, desarrollo, interrupción…) a la acción principal expresada por el infinitivo, gerundio o participio:

  ***Tenemos que hablar** con Lourdes lo antes posible.* (Valor modal, indica necesidad)
  ***Me voy a comprar** un coche pronto.* (Valor temporal, indica futuro)
  *Pedro **sigue durmiendo**.* (Valor aspectual, indica que la acción continúa)

- Las perífrasis más frecuentes son las de infinitivo y las de gerundio. Estas son algunas de las perífrasis de infinitivo más comunes y su significado:

  – *Empezar/Comenzar* + *a* + **infinitivo** indica el comienzo de una acción:
  Ha empezado a llover hace un rato.

  – *Volver* + *a* + **infinitivo** indica la repetición de una acción:
  He vuelto a leer el libro que me dejaste.

  – *Dejar* + *de* + **infinitivo** indica la interrupción o finalización de una acción:
  ¿Cuándo dejaste de trabajar en la radio?

  – *Acabar* + *de* + **infinitivo** indica la finalización reciente de una acción:
  Acababa de llegar a casa cuando me llamó Raúl.

  – *Estar a punto de* + **infinitivo** indica el comienzo inminente de una acción:
  Espera un momento, Juan está a punto de llegar.

Fíjate:
No hay muchas perífrasis de participio. Una de las más comunes es *llevar/tener* + participio, que indica la parte realizada de una acción que aún no ha terminado:
Llevaba leídas veinte páginas cuando dejé el libro porque me aburría.
Tengo hecha media traducción, aún me queda bastante para terminar.

RAE (GRAMÁTICA)

- En Argentina y en la zona rioplatense la perífrasis (*acabar de* + infinitivo) se suele sustituir por (*recién* + verbo conjugado) con el mismo significado: *Para cumplir con los 112 pagos mensuales del terreno hacen rifas y colectas. Admiten que el esfuerzo recién comienza, pero que vale la pena.*
- También en Argentina, la perífrasis (*estar a punto de* + infinitivo) se suele reemplazar por (*estar por* + infinitivo): *Isabel estaba por cumplir 13 años cuando falleció su abuela.*
  Esta perífrasis en España tiene un significado diferente; indica la intención de realizar una acción: *Es más, estoy por pedirte que te quedes a pasar unos días aquí. Así tú te sentirías mejor.*
  También puede expresar una acción que aún no se ha realizado: *No lo celebró: "El trabajo estaba por terminar. No tenía nada que celebrar", dijo.*

Perífrasis de gerundio

- Las perífrasis de gerundio son **aspectuales**: independientemente del tiempo en el que esté el verbo auxiliar, indican que la acción principal está **en desarrollo**. La perífrasis de gerundio más común es *estar* + **gerundio**:
  Hoy estoy estudiando Matemáticas.
  Estaba durmiendo cuando me llegó tu mensaje.
  Ayer estuvimos todo el día visitando el centro, nos encantó.
  Mañana a esta hora estaré llegando a Barcelona.

Fíjate:
En cada uno de estos ejemplos el tiempo verbal es diferente (presente, pasado, futuro), pero en todos ellos se presenta la acción en desarrollo.

- La perífrasis *seguir/continuar* + **gerundio** expresa una acción en desarrollo que comenzó anteriormente:
  Antonio sigue estudiando chino en la misma academia.
- La perífrasis *llevar* + **(cantidad de tiempo)** + **gerundio** expresa la duración de una acción que empezó en el pasado (indicando su comienzo) y que continúa en el presente:
  Llevamos más de una hora esperando a que nos reciba.
- La perífrasis *ir* + **gerundio** expresa una acción que se desarrolla progresivamente:
  Voy mejorando, ya no tengo fiebre.
- La perífrasis *andar* + **gerundio** indica discontinuidad, despreocupación y algunas veces tiene un matiz negativo:
  Andan diciendo que van a organizar una huelga.

RAE (GRAMÁTICA)

- En Argentina (*estar* + gerundio) expresa una acción en su transcurso, al igual que en el español peninsular, pero también puede expresar futuro cuando hay una referencia temporal de futuro: *"Buenísimo, ¿cuándo?" "En febrero". Me aclara que se está yendo a Nueva York por un mes y lo tranquilizo: "Tenemos tiempo".*
- En México (*andar* + gerundio) tiene una frecuencia de uso mucho mayor que en ningún otro país hispanohablante, sobre todo en el habla informal: *–¿Qué andaba haciendo ese nagual en esta parte del mundo? ¿Andaba curando?*

Oraciones causales

- Las oraciones **causales** indican la **razón o motivo** de una acción o situación y se construyen en **indicativo**:

    *Voy a apagar el ordenador **porque me duelen** ya los ojos.*

- Los conectores causales más habituales son *porque* y *como*. *Como* se usa para expresar la causa en primer lugar. En este caso, el hablante quiere hacer más hincapié en la causa que en la consecuencia:

    *Me acosté temprano **porque** estaba muy cansado.*
    ***Como** estaba muy cansado, me acosté temprano.*

- El conector *por* equivale a *porque*, y se construye con un **sustantivo** o un **infinitivo**:

    *Tengo mucho sueño **por el cambio de hora**. = Tengo mucho sueño **porque han cambiado la hora**.*
    *Voy en coche **por tardar menos**. = Voy en coche **porque quiero tardar menos**.*

- Otros conectores causales son:

    – ya que   – puesto que   – dado que   – en vista de que

    Estos conectores expresan una **causa conocida** por el interlocutor y pueden aparecer antes o después de la consecuencia:

    ***Ya que** estás cerca de casa, ¿por qué no te acercas y tomamos un café?*
    *¿Por qué no te acercas y tomamos un café **ya que** estás cerca de casa?*

- El conector *a causa de* es formal y suele ir seguido de un **sustantivo**:

    *La situación económica ha empeorado **a causa de** la inflación.*

Oraciones concesivas

- Las oraciones concesivas se usan para **presentar un obstáculo** que no impide que la acción principal se cumpla. *Aunque* es el nexo concesivo más común.

- Se usa *aunque* con **indicativo** cuando el obstáculo se presenta como un **hecho objetivo** o como **información nueva**:

    ▶ *Vamos a comer fuera, ¿te vienes?*
    ▷ ***Aunque tengo** mucho trabajo, voy con vosotros, estoy hambriento.*

- Se usa *aunque* con **subjuntivo** cuando el obstáculo es una **información compartida o** el hablante **no** lo considera **importante**:

    ▶ *Parece que esta tarde va a llover.*
    ▷ *Pues **aunque llueva**, yo pienso salir a dar una vuelta.*

Recomendaciones para escribir una noticia

- El titular de una noticia suele ser **breve** e intenta captar la atención del lector/oyente/espectador.

- La información debe explicar la **causa** o **razón** de la noticia (junto al **qué, dónde, cuándo** y **cómo** sucedió):

    *Ayer se cerraron varias carreteras **a causa de** la nieve.*

- Las acciones se narran normalmente en presente o pretérito perfecto para indicar la **inmediatez** de la noticia:

    *Al congreso **asisten** representantes de diez países.*

- Son habituales **las perífrasis** que especifican el comienzo, desarrollo, interrupción o repetición de una acción:

    *Las temperaturas **volverán a descender** en las próximas horas.*

- Se usan conectores que ayudan a organizar la información: *además, también, por una parte, por otro lado, sin embargo*, etc.

Rectificar o matizar una información o suposición previa

Cuando queremos rectificar o matizar una información o suposición previa explicando su verdadera causa o motivo, usamos las siguientes estructuras, en las que la información que se rectifica se construye en **subjuntivo**:

- *no porque* + subjuntivo, *sino porque* + indicativo

    *Estoy triste **no porque** no **pueda** ir a la fiesta, **sino porque** no **ha invitado**.*

- *no es que* + subjuntivo, *es que* + indicativo

    ***No es que** no **quiera** comer contigo, **es que** no **tengo** tiempo para salir ahora.*

Futuro compuesto

- El **futuro compuesto** es un tiempo verbal que se forma con el verbo auxiliar *haber* en **futuro simple** y el participio del verbo principal:

	Estudiar	Entender	Repetir
yo	**habré** estudiado	**habré** entendido	**habré** repetido
tú	**habrás** estudiado	**habrás** entendido	**habrás** repetido
él, ella, usted	**habrá** estudiado	**habrá** entendido	**habrá** repetido
nosotros/as	**habremos** estudiado	**habremos** entendido	**habremos** repetido
vosotros/as	**habréis** estudiado	**habréis** entendido	**habréis** repetido
ellos, ellas, ustedes	**habrán** estudiado	**habrán** entendido	**habrán** repetido

> Recuerda:
> - El participio no cambia de género ni de número:
>   *yo* habré **leído**/*ella* habrá **leído**/*ellos* habrán **leído**...

- Recuerda que algunos participios son irregulares: *abierto, dicho, escrito*...

- El futuro compuesto se usa para indicar una **acción futura anterior** a otra **acción** o **momento** también **futuros**:
    Mañana a las diez, Juan ya habrá llegado a casa, el avión aterriza a las ocho y media.

- Se usa también para **expresar hipótesis** sobre sucesos del **pasado reciente**, es decir, dentro de un marco temporal que no se considera aún terminado. En este caso, el futuro compuesto equivale al pretérito perfecto:
    Habrá perdido el tren y por eso no está todavía aquí.
    ¿Por qué no me habrán llamado mis padres?

RAE

GRAMÁTICA
En el español de América (Uruguay, Argentina, Paraguay...) es posible usar el pretérito indefinido en lugar del futuro compuesto para expresar una acción futura anterior a otra acción o momento futuros:
De seguir así, a la semana que viene ya corrí los 40 kilómetros.

Hacer predicciones: futuro simple/futuro compuesto

- **Con el futuro simple** situamos la predicción **en el futuro**:
    La próxima semana empeorará el tiempo.

- **Con el futuro compuesto** se expresa **la anterioridad** de la predicción con respecto al **futuro**:
    El Gobierno cree que en un año habrá disminuido el paro.

Hacer hipótesis y expresar probabilidad con indicativo y subjuntivo

Cuando queremos hacer **hipótesis** y expresar **probabilidad**, usamos las siguientes expresiones:

- Con **indicativo**:
    - a lo mejor
    - lo mismo
    - igual

- Con **indicativo y subjuntivo**:
    - quizá(s)
    - tal vez
    - probablemente
    - posiblemente
    - seguramente

- Con **subjuntivo**:
    - puede (ser) que
    - (no) es + | posible / probable / imposible | + que

*Lo mismo mañana nos **vamos** de excursión a la sierra.*
*Quizá **llueve/llueva/lloverá** esta tarde, está muy nublado.*
*Seguramente **compremos/compramos/compraremos** un televisor nuevo.*
*Puede que Marta **venga** a cenar, nos llamará luego para confirmar.*
*Es imposible que **traduzcas** cinco páginas en una hora.*

> Fíjate:
> En las expresiones que pueden llevar indicativo o subjuntivo, si el hablante usa el indicativo, cree que su suposición es más probable que si usa el subjuntivo.

> Fíjate:
> Para referirte a un pasado reciente en subjuntivo, puedes utilizar el **pretérito perfecto de subjuntivo**, que se construye con el verbo *haber* en presente de subjuntivo y el participio del verbo principal. Equivale, en subjuntivo, al pretérito perfecto de indicativo:
>   *Ha llegado ya./ Puede que **haya llegado** ya.*

GRAMÁTICA
En el español de América (R. Dominicana, Uruguay y Venezuela) también se usa de repente con el significado de posiblemente :
*Por mi barrio hay un joyero que **de repente** lo puede arreglar… Mañana mismo se lo llevo.*

Contraste futuro simple/futuro compuesto/condicional para expresar hipótesis

- Con el **futuro simple** se expresan hipótesis referidas al **presente**:
  ▶ *¿Qué hora es?*
  ▷ *No sé, pero **serán** las cuatro o por ahí.*

- Con el **futuro compuesto** se expresan hipótesis referidas al **pasado reciente**:
  ▶ *¿Sabes si ha llegado el jefe?*
  ▷ *No lo he visto, pero imagino que **habrá llegado**.*

- Con el **condicional** se expresan hipótesis referidas al **pasado**:
  ▶ *¿Por qué sabía Leandro lo que pasó el domingo?*
  ▷ *No sé, se lo **diría** ayer Carmen.*

Oraciones finales

- Para expresar la **utilidad de un objeto** o el **objetivo de una acción**, se usa la preposición *para*. Hay dos construcciones diferentes:
  - Si ambos verbos tienen el **mismo sujeto**, se usa *para* + infinitivo:
    *Juan ha escrito al profesor **para preguntarle** por el examen.* (Juan quiere preguntar por el examen)
  - Si los verbos tienen **diferentes sujetos**, se usa *para que* + subjuntivo:
    *Juan ha escrito al profesor **para que le diga** la nota del examen.* (Juan quiere que el profesor le diga la nota del examen)

- Además de *para*, existen otras **expresiones de finalidad**:
  - En **contextos formales** puedes usar *con el fin/el objetivo/el propósito/la finalidad de (que)*:
    *Se mandará un correo a todos los empleados **con el fin de que** queden informados de las últimas decisiones tomadas por la dirección.*
  - Con **verbos de movimiento** es frecuente utilizar la preposición *a*:
    *Esta mañana **he vuelto** a casa **a** buscar mis gafas.*
    *Tengo que **ir** al dentista **a** que me haga una limpieza de boca.*

> Fíjate:
> Estos marcadores siguen la misma estructura que *para*, es decir, infinitivo si los sujetos son iguales y subjuntivo si son diferentes:
>   *Le he llamado **con el propósito** de informarle./Le he llamado **con el propósito de que** me informe.*

Describir un objeto

- Para hablar de la **forma**:
  - *Tiene forma de* + sustantivo
    La botella tiene forma de barco.
  - *Tiene forma/Es* + adjetivo
    La cama es redonda.

- Para hablar del **material**:
  - *Está hecho(a)/Es de* + material
    El vaso es de cristal.
- Si no se sabe el nombre o la forma del material puedes usar *es como/similar a..., pero...*:
    Es similar a unas tijeras, pero con la punta cuadrada.

Describir la función o finalidad de un objeto

- Para describir la **función o finalidad** de los **objetos**, puedes usar:
  - *Es/Sirve/Se usa/Se utiliza para* + infinitivo/*que* + subjuntivo (mismo sujeto/sujeto diferente):
    Las tijeras se utilizan para cortar.
    Este espacio en blanco es para que firmes.
- Para describir una **función distinta** a aquella para la que estaba diseñado el objeto, usamos:
  - *Se usa/Se utiliza/Se emplea/Sirve como* + sustantivo:
    Estas cajas se usan también como cajones para el armario.
    Esta cortina sirve como mantel.

Preguntar o introducir una información y responder

- Para **preguntar** algo que se desconoce, se usa:
  - *¿Sabes qué/si/cómo/cuándo/dónde...?*
    ¿Sabes dónde nació Ernesto?
    ¿Sabes si este icono sirve para grabar?
- Para responder **negativamente**, se usan las siguientes expresiones:
  - Lo siento, (pero) no lo sé/no tengo ni idea.
- Para **introducir** una determinada **información** y saber si nuestro interlocutor la **conoce**, puedes usar:
  - *¿Sabes/Sabías que* + información*?*
    ¿Sabes/Sabías que la escuela va a organizar una fiesta para el fin de curso?
  - *He leído/oído/visto que* + información
    He leído que va a subir el precio de la luz.
- Para **responder**, puedes usar:
  - Sí, ya lo sabía.
  - No, no lo sabía/no tenía ni idea.

Expresar sorpresa o extrañeza

- Para expresar **sorpresa o extrañeza**, puedes usar estas estructuras y expresiones:

– *Me sorprende*		**sustantivo**
– *Me extraña*		
– *Es increíble*	+	**infinitivo**
– *Es raro*		
– *Es extraño*		*que* + **subjuntivo**

Me sorprenden mucho tus palabras no me las esperaba.
Es increíble estar tan cerca de nuestro cantante favorito.
Es raro que haya tanta gente aquí, ¿qué habrá pasado?
¿En serio? ¿Que se ha ido? ¡No me lo puedo creer!

  - ¡Qué sorpresa/raro/extraño!
  - ¡No me lo puedo creer!
  - ¿En serio?

Contraste *por/para*

- La principal diferencia entre las preposiciones *por* y *para* es que *por* expresa la **causa o motivo** de una acción, mientras que *para* expresa su **finalidad o propósito**:

  *No hemos podido salir antes **por** el trabajo.* (causa)
  *No tengo dinero suelto **para** comprar el pan.* (finalidad)

- Para distinguir entre causa y finalidad se debe tener en cuenta la relación temporal entre las acciones. La **causa** es **anterior o simultánea** a la consecuencia, mientras que la **finalidad** es **posterior**:

  *No he salido **por** la lluvia.* (Las acciones de *llover* y *salir* son simultáneas)
  *Estudia inglés **para** trabajar en Estado Unidos.* (Primero estudia, luego trabaja en Estados Unidos)

Otros usos de *por/para*

Además de **causa**, la preposición *por* puede expresar:

- Tiempo y lugar **aproximados**, lugar **de paso**:

  *Paseo **por** el parque todos los días.*

- **Partes del día**:

  *Voy a la universidad **por** la tarde.*

- **Intercambio, precio**:

  *Hoy Mario va a dar la clase **por** mí.*
  *Lo he comprado **por** cien euros.*

- **Medio** ('a través de', 'por medio de'):

  *Llámame **por** teléfono y hablamos.*

Además de **finalidad o intención**, la preposición *para* puede expresar:

- **Plazo** de tiempo:

  *El examen es **para** miércoles.*

- **Dirección** del movimiento:

  *Vamos **para** mi casa y te voy contando.*

- **Opinión**:

  ***Para** Juan, lo más importante es comer equilibradamente.*

- **Destinatario/a**:

  *Toma, este regalo es **para** ti, por tu cumpleaños.*

- **Comparación en contraposición**:

  *Habla muy bien **para** ser tan pequeñín.*

Fíjate:

- Es frecuente dar las gracias seguido de *por*:

  *Muchas gracias **por** todo.*

- Para expresar la duración total de una acción no es necesaria la preposición *por*, pero su uso no se considera incorrecto:

  *Voy a estar aquí (**por**) todo el día.*

- Con la preposición *a* indicamos el destino, el fin del movimiento. Con *para* se indica solo la dirección, es más impreciso.

- Hay muchas expresiones fijas con ambas preposiciones: ***por favor, por cierto, por casualidad, por supuesto, por si acaso, para nada, para colmo, para entonces…***

RAE

GRAMÁTICA

- Es frecuente escuchar la expresión *favor de* + infinitivo en Centroamérica, Chile, Colombia, Ecuador, México y República Dominicana en lugar de hacer el favor de o por favor + imperativo : *Pero tú, ¡**favor de** guardar calma! —exclamó ella.*

- En el español de América se usa en la mañana/tarde/noche , en lugar de por la mañana/tarde/noche : *Pues, mire, venga mañana **en la mañana** y hable con ella en su oficina.*

- En México y Argentina se puede responder por nada a un agradecimiento. Alterna con de nada :

  ▶ *Muy amable, señorita. El agente Hernández le tomará sus datos.*
  ▷ *Por nada…*

  ▶ *Quiero darte las gracias por ayudarme a ver la realidad con alegría.*
  ▷ *De nada.*

Oraciones consecutivas

- Las oraciones consecutivas expresan la **consecuencia** producida por un hecho anterior. Algunos conectores consecutivos habituales son *entonces, o sea que, así (es) que, por (lo) tanto, por lo que, de manera/modo que, por consiguiente, de ahí que*…:

    *Es muy tarde, **así que** me voy.*

- Estos conectores se construyen con indicativo o imperativo, excepto *de ahí que*, que se construye siempre con subjuntivo:

    *Tiene un examen esta tarde, **de ahí que esté** tan nervioso.*

- *De manera/modo que* se construyen con subjuntivo si tienen **matiz final**:

    *Coloca la tele **de modo que podamos** verla todos.*

- En algunas situaciones estas oraciones tienen un valor **deductivo**:

    ▶ *Hemos llamado y no contesta.*
    ▷ ***Entonces** se ha dormido.*

Oraciones condicionales (primera condicional)

- Las oraciones condicionales indican una **condición** que se tiene que producir para que se cumpla la acción de la oración principal. La conjunción condicional más común es *si*:

    <u>Si estudias un poco más</u>, <u>aprobarás el examen</u>.
           condición   acción principal

- Las oraciones condicionales **reales (primera condicional)** son las que presentan una condición que puede realizarse o suceder. Tienen la siguiente estructura:

    − Si + **presente** de indicativo + **presente/imperativo/futuro**

    *Si **llegamos** pronto a casa, **nos vamos** al gimnasio.*
    (En este caso puede tener valor habitual, equivalente a *cuando* o *siempre que*).
    *Si **quieres** llegar a tiempo, **sal** antes de casa.*
    *Si **vais** al parque de atracciones, os lo **pasaréis** muy bien.*

- Como sucede con otro tipo de oraciones compuestas, en las oraciones condicionales es posible **intercambiar el orden** entre la oración principal y la subordinada:

    Si puedes, llámame.
    Llámame si puedes.

> Fíjate:
> *Si* no se puede construir nunca con futuro:
> *Si ~~querrás~~ quieres, salimos esta noche.*

Estrategias para llegar a un acuerdo

- Utiliza las estructuras que ya conoces para **expresar tu opinión**:

    − Para mí…   − Desde mi punto de vista…   − Yo creo/A mí me parece que…

- **Interrumpe** la conversación ayudado de expresiones como:

    − Perdona (que te interrumpa)…   − Espera un momento/momentito…

- **Expón las consecuencias** de cada elección:

    − Si elegimos…, entonces…

- **Comprueba** si se ha llegado a un acuerdo con:

    − ¿Estamos todos de acuerdo?   − ¿Alguien quiere añadir algo más?
    − ¿Os parece bien a todos?   − ¿Hay algo que queráis cambiar?

Subjuntivo para expresar deseos y preferencias y hacer peticiones (repaso)

- Para expresar **deseos** y **preferencias** se usan los verbos *querer, desear, esperar, tener ganas de* o *preferir* seguidos de **infinitivo** (si el sujeto de las oraciones principal y subordinada es el mismo) o *que* + **subjuntivo** (si el sujeto de ambas oraciones es diferente):

    Tengo muchas ganas de verte./Tengo muchas ganas de que nos veamos.

    – También se usa la interjección *ojalá (que)* seguida siempre de **subjuntivo**:

    Ojala (que) haga buen tiempo este fin de semana.

    – La estructura *que* + **presente de subjuntivo** se usa para manifestar buenos deseos a otras personas. Son fórmulas sociales como *¡que lo pases bien!, ¡que te vaya bien!, ¡que cumplas muchos más!, ¡que te mejores!, ¡que aproveche!, ¡que os divirtáis!, ¡que descanses!...*

- Para hacer **peticiones** se usan los verbos *pedir, rogar* y *suplicar* seguidos de *que* + **subjuntivo**:

    Te pedimos que nos ayudes con esto, por favor.

> **RAE**
>
> **COMUNICACIÓN**
> En Hispanoamérica, algunas de estas expresiones son algo diferentes.
> ❯ Que la pases bien: *Congratulaciones anticipadas al joven abogado Rony Díaz Yánez. [...] Que la pases bien, amigo.*
> ❯ Que te vaya bonito (México): *Ojalá que te vaya bonito, ojalá que se acaben tus penas.*
> ❯ Que los cumplas feliz (Argentina): *Germán entra con una pequeña torta con 40 velitas encendidas y canta "Que los cumplas feliz".*
> ❯ Que te alivies: *Mami, espero que te alivies para que podamos estar juntas y vayamos a España de vacaciones.*

Subjuntivo con verbos de influencia: consejos y recomendaciones, órdenes, permiso y prohibición (repaso)

- Son verbos de influencia *aconsejar, recomendar, sugerir, mandar, ordenar, permitir, dejar* o *prohibir.* Este tipo de verbos se construyen con **infinitivo** o con *que* + **subjuntivo**:

    Te recomiendo dar/que des clases particulares.

- También puedes usar las siguientes estructuras:

Es	conveniente recomendable aconsejable	+ **infinitivo**, para hablar de **acciones o situaciones generales**: *Es conveniente comer más proteínas y menos hidratos para adelgazar.*
		+ *que* + presente de **subjuntivo**, para **personalizar el consejo**: *Es recomendable que te lleves el paraguas. Está lloviendo.*

> Recuerda:
> En carteles es frecuente el uso de fórmulas impersonales: *se prohíbe/permite, está permitido/prohibido* seguidas de **infinitivo**:
>
> *(Está) Permitido/Se permite aparcar hasta las 8 de la mañana.*

Subjuntivo para expresar sentimientos y estados de ánimo (repaso)

- Existen diferentes construcciones para expresar **sentimientos** y **estados de ánimo**. Todas ellas van acompañadas de **infinitivo** si el sujeto de la oración subordinada es el mismo que el de la principal y de *que* + **subjuntivo** si los sujetos son distintos.

  - Verbos con la misma construcción que *gustar*, como *interesar, encantar, molestar, doler, importar, preocupar, extrañar* o *sorprender*:

    No me importa nada quedarme y echarte una mano.

    Nos extraña que se vaya así, de repente.

  - Las locuciones *dar* + **sustantivo** *(miedo, pena, vergüenza…)* y *poner* + **adjetivo** *(triste, contento/a, furioso/a, nervioso/a…)*:

    Me da rabia que la gente tire la basura al suelo.

  - Verbos en los que el sujeto es la persona que experimenta el sentimiento o emoción, como *soportar, sentir, lamentar, temer, odiar, aguantar* o *alegrarse*:

    Siento que tengamos que terminar ya, es que tengo prisa.

  - Los estados de ánimo se expresan con *estar* + **adjetivo** *(cansado/a, harto/a, contento/a…)*:

    Estoy cansado de decirte siempre lo mismo.

- Las expresiones *me da igual/lo mismo* expresan **indiferencia**.

> Recuerda:
> - Las locuciones con *dar* y *poner* se pueden construir con *cuando* o *si*. En este caso el verbo que introducen va siempre en indicativo y el verbo *poner* se hace reflexivo:
>
>   *Me da vergüenza **cuando** la gente **grita** por la calle.*
>   *Me pongo contento **si** mis hijos **sacan** buenas notas.*
> - Esto ocurre también con verbos como *enfadar(se), alegrar(se), aburrir(se)*:
>
>   *Me aburro **cuando estoy** sola.*

Subjuntivo para expresar opinión y valoración (repaso)

- Tanto los verbos *pensar, creer* y *parecer* como las expresiones de **certeza** *(es verdad/cierto/obvio, está demostrado/claro/visto…)* se usan para expresar **opinión**.

  - Se construyen con *que* + **indicativo** cuando son **afirmativos**:

    Está claro que tenemos que tomar medidas lo antes posible.

  - Se construyen con **subjuntivo** si van en forma **negativa**. En este caso, se usa el subjuntivo para **rebatir una opinión** expresada anteriormente o que se sobrentiende:

    Yo no creo que sea tan urgente, la verdad. Eres un poco exagerado.

> Recuerda:
> Para que el verbo subordinado vaya en subjuntivo, la negación tiene que estar en la oración principal:
>
>   *Yo creo que **no es** tan urgente./Yo **no creo** que **sea** tan urgente.*

- Los **juicios de valor** sirven para calificar un hecho y, por tanto, también se usan cuando queremos opinar sobre un tema. Se construyen con *ser* y *parecer* + sustantivo o adjetivo valorativos *(una pena, una tontería, bueno, malo, indignante…)* o *estar* + adverbio valorativo *(bien, mal)*. Si el juicio de valor es general, la frase se construye con **infinitivo**; si se personaliza, con *que* + **subjuntivo**:

    Es indignante tener jefes tan incompetentes al mando.
    Es indignante que tengas un jefe tan incompetente al mando.

Subjuntivo en oraciones de relativo con antecedente desconocido (repaso)

En las **oraciones de relativo** se usa el **subjuntivo** si el antecedente es **desconocido**, solo conocemos sus características, preguntamos por su existencia o la negamos:

*Necesito **un profesor** que me **ayude** a entender esta asignatura.*

Recuerda:
Para preguntar y responder negativamente se usan los pronombres indefinidos *algo/nada, alguien/nadie*:

*No conozco a **nadie** que le guste tanto la verdura como a ti.*

Subjuntivo para expresar hipótesis y probabilidad (repaso)

En español, para expresar **hipótesis** y **probabilidad**, hay dos recursos principales:

- El uso del **futuro simple**, el **futuro compuesto** y el **condicional**:

    *¿**Estará** Pepa en casa?* (presente)
    *Ya **habrá terminado** los deberes.* (pasado reciente)
    *No te habló porque **estaría** enfadada.* (pasado)

- El uso de los siguientes **adverbios** y **locuciones adverbiales**:

Con **indicativo**:	Con **indicativo y subjuntivo**:	Con **subjuntivo**:
– a lo mejor	– quizá(s)	– puede (ser) que
– lo mismo	– tal vez	
– igual	– probablemente	– (no) es + posible / probable / imposible + que
	– posiblemente	
	– seguramente	

*No es probable que, tal y como van las cosas, la situación **mejore**.*

Recuerda:
En las expresiones que pueden llevar indicativo o subjuntivo, si el hablante usa el indicativo, cree que su suposición es más probable que si usa el subjuntivo.

RAE **GRAMÁTICA**
En el español de América (R. Dominicana, Uruguay y Venezuela) también se usa de repente con el significado de posiblemente :
*Por mi barrio hay un joyero que **de repente** lo puede arreglar… Mañana mismo se lo llevo.*

Subjuntivo para expresar finalidad (repaso)

Para expresar la **función de un objeto** o el **objetivo de una acción**, se usa la preposición *para* seguida de **infinitivo** si el sujeto de la oración subordinada es el mismo que el de la oración principal, y *que* + **subjuntivo** cuando los sujetos son diferentes:

*Estoy aquí **para ayudarte**.*
*Estamos esperando a Iván **para que nos diga** qué día empiezan las vacaciones.*

Recuerda:
- Otros marcadores de finalidad son *con el fin/el objeto/la finalidad de (que)*. Se usan en **contextos** más **formales**.
- La preposición *a* se usa como marcador de finalidad con verbos de **movimiento**:
    *Me **voy a** que me arreglen la pantalla del móvil.*

Explicar la causa y matizar o desmentir una información (repaso)

- Recuerda que para expresar la causa o el motivo de una acción usamos conectores como *porque, puesto/ya que, por* o *como*:

    Ya que estás ahí, dame ese bolígrafo, por favor.

- Para matizar o desmentir una información o suposición previa explicando su verdadera causa o motivo se usa la estructura *no porque* + **subjuntivo**, *sino porque* + **indicativo**:

    Nos vamos, no porque sea tarde, sino porque tenemos que madrugar mañana.

Introducir una opinión y reaccionar (repaso)

Recuerda que para **introducir tu opinión** o valoración puedes usar las expresiones *para mí, a mí me parece que, según mi idea, desde mi punto de vista…* y para reaccionar mostrando **acuerdo o desacuerdo** puedes usar las expresiones *(no) estoy de acuerdo contigo, estoy a favor/en contra de esa opinión, (no) tienes razón, estoy de acuerdo, pero…*

Evocar recuerdos (repaso)

- Para expresar que **se recuerda** algo podemos usar:

    - *Recordar/Acordarse de* + sustantivo/*que*…
      Recuerdo esa bici, era la que tenía de pequeña.
      Me acuerdo muy bien de lo que me dijiste.

    - *No olvidar/No olvidarse de* + sustantivo/*que*…
      No olvidaré nunca que el trabajo que tengo te lo debo a ti.

- Para expresar que **no se recuerda** algo podemos usar las mismas estructuras en forma negativa y afirmativa respectivamente.

- *Me suena* se usa para expresar un recuerdo vago de algo.

Pedir, dar y agradecer un consejo (repaso)

- Para **pedir un consejo** puedes usar las siguientes expresiones:

    - ¿Puedes aconsejarme?
    - ¿Qué me recomiendas/aconsejas?
    - ¿A ti qué te parece?

- Recuerda los verbos y expresiones para **dar consejos** que has aprendido:

    - *Te aconsejo/recomiendo/sugiero* + infinitivo/*que* + subjuntivo
    - *Es conveniente/aconsejable/recomendable* + infinitivo/*que* + subjuntivo

- Para **dar las gracias** puedes usar expresiones como:

    - Muchas gracias por todo/tu consejo.
    - Te agradezco mucho tu ayuda.
    - Me has ayudado mucho, ¡gracias!

Tabla de verbos

Verbos regulares

1.ª conjugación -AR CANTAR	2.ª conjugación -ER COMER	3.ª conjugación -IR VIVIR
canto	como	vivo
cantas	comes	vives
canta	come	vive
cantamos	comemos	vivimos
cantáis	coméis	vivís
cantan	comen	viven

Verbos reflexivos regulares

Bañarse	Ducharse	Lavarse	Levantarse	Peinarse
me baño	me ducho	me lavo	me levanto	me peino
te bañas	te duchas	te lavas	te levantas	te peinas
se baña	se ducha	se lava	se levanta	se peina
nos bañamos	nos duchamos	nos lavamos	nos levantamos	nos peinamos
os bañáis	os ducháis	os laváis	os levantáis	os peináis
se bañan	se duchan	se lavan	se levantan	se peinan

Verbos irregulares

Verbos con irregularidad vocálica

• E › IE

Cerrar	Comenzar	Despertarse	Divertirse	Empezar
cierro	comienzo	me despierto	me divierto	empiezo
cierras	comienzas	te despiertas	te diviertes	empiezas
cierra	comienza	se despierta	se divierte	empieza
cerramos	comenzamos	nos despertamos	nos divertimos	empezamos
cerráis	comenzáis	os despertáis	os divertís	empezáis
cierran	comienzan	se despiertan	se divierten	empiezan

Entender	Merendar	Pensar	Perder	Querer
entiendo	meriendo	pienso	pierdo	quiero
entiendes	meriendas	piensas	pierdes	quieres
entiende	merienda	piensa	pierde	quiere
entendemos	merendamos	pensamos	perdemos	queremos
entendéis	merendáis	pensáis	perdéis	queréis
entienden	meriendan	piensan	pierden	quieren

• O › UE

Acordarse	Acostarse	Almorzar	Contar	Dormir	Encontrar
me acuerdo	me acuesto	almuerzo	cuento	duermo	encuentro
te acuerdas	te acuestas	almuerzas	cuentas	duermes	encuentras
se acuerda	se acuesta	almuerza	cuenta	duerme	encuentra
nos acordamos	nos acostamos	almorzamos	contamos	dormimos	encontramos
os acordáis	os acostáis	almorzáis	contáis	dormís	encontráis
se acuerdan	se acuestan	almuerzan	cuentan	duermen	encuentran

Poder	Recordar	Resolver	Soler	Soñar	Volver
puedo	recuerdo	resuelvo	suelo	sueño	vuelvo
puedes	recuerdas	resuelves	sueles	sueñas	vuelves
puede	recuerda	resuelve	suele	sueña	vuelve
podemos	recordamos	resolvemos	solemos	soñamos	volvemos
podéis	recordáis	resolvéis	soléis	soñáis	volvéis
pueden	recuerdan	resuelven	suelen	sueñan	vuelven

• E › I

Elegir	Pedir	Reírse	Repetir	Servir	Vestirse
elijo	pido	me río	repito	sirvo	me visto
eliges	pides	te ríes	repites	sirves	te vistes
elige	pide	se ríe	repite	sirve	se viste
elegimos	pedimos	nos reímos	repetimos	servimos	nos vestimos
elegís	pedís	os reís	repetís	servís	os vestís
eligen	piden	se ríen	repiten	sirven	se visten

• U › UE   • I › Y

Jugar	Concluir	Construir	Contribuir	Destruir	Huir
juego	concluyo	construyo	contribuyo	destruyo	huyo
juegas	concluyes	construyes	contribuyes	destruyes	huyes
juega	concluye	construye	contribuye	destruye	huye
jugamos	concluimos	construimos	contribuimos	destruimos	huimos
jugáis	concluís	construís	contribuís	destruís	huis
juegan	concluyen	construyen	contribuyen	destruyen	huyen

Verbos irregulares en la primera persona

• Verbos en -ZC-

Conducir	Conocer	Obedecer	Producir	Traducir
condu**zco**	cono**zco**	obede**zco**	produ**zco**	tradu**zco**
conduces	conoces	obedeces	produces	traduces
conduce	conoce	obedece	produce	traduce
conducimos	conocemos	obedecemos	producimos	traducimos
conducís	conocéis	obedecéis	producís	traducís
conducen	conocen	obedecen	producen	traducen

Otros verbos irregulares en la primera persona

Caer	Dar	Hacer	Poner	Saber	Salir
caigo	**doy**	**hago**	**pongo**	**sé**	**salgo**
caes	das	haces	pones	sabes	sales
cae	da	hace	pone	sabe	sale
caemos	damos	hacemos	ponemos	sabemos	salimos
caéis	dais	hacéis	ponéis	sabéis	salís
caen	dan	hacen	ponen	saben	salen

Traer	Valer	Ver
traigo	**valgo**	**veo**
traes	vales	ves
trae	vale	ve
traemos	valemos	vemos
traéis	valéis	veis
traen	valen	ven

Verbos con dos irregularidades

Decir	Oír	Oler	Tener	Venir
digo	**oigo**	**hue**lo	**tengo**	**vengo**
dices	oyes	**hue**les	ti**e**nes	vi**e**nes
dice	oye	**hue**le	ti**e**ne	vi**e**ne
decimos	oímos	olemos	tenemos	venimos
decís	oís	oléis	tenéis	venís
dicen	oyen	**hue**len	ti**e**nen	vi**e**nen

Verbos con irregularidades propias

Estar	Haber	Ir	Ser
estoy	**he**	**voy**	**soy**
estás	**has**	**vas**	**eres**
está	**ha**	**va**	**es**
estamos	**hemos**	**vamos**	**somos**
estáis	habéis	**vais**	**sois**
están	**han**	**van**	**son**

Recuerda:
- El verbo *haber* se usa principalmente para formar los tiempos compuestos de los verbos.
- Cuando funciona como verbo impersonal, tiene una forma especial en presente, *hay*:

  Hay un árbol en la esquina.

  Hay árboles en el parque.
- El verbo *estar* cambia la sílaba tónica habitual del presente de indicativo en todas las personas excepto en *nosotros/as* y *vosotros/as* (por eso algunas formas llevan tilde).

Verbos que se construyen como *gustar*

Doler	Encantar	Molestar	Parecer
me d**ue**le/d**ue**len	me encanta/encantan	me molesta/molestan	me parece/parecen
te d**ue**le/d**ue**len	te encanta/encantan	te molesta/molestan	te parece/parecen
le d**ue**le/d**ue**len	le encanta/encantan	le molesta/molestan	le parece/parecen
nos d**ue**le/d**ue**len	nos encanta/encantan	nos molesta/molestan	nos parece/parecen
os d**ue**le/d**ue**len	os encanta/encantan	os molesta/molestan	os parece/parecen
les d**ue**le/d**ue**len	les encanta/encantan	les molesta/molestan	les parece/parecen

Imperativo afirmativo

Verbos regulares

	1.ª conjugación -AR CANTAR	2.ª conjugación -ER COMER	3.ª conjugación -IR VIVIR
tú	canta	come	vive
usted	cante	coma	viva
vosotros/as	cantad	comed	vivid
ustedes	canten	coman	vivan

Verbos irregulares

Irregularidades vocálicas

- E › IE

Cerrar	Empezar	Pensar
c**ie**rra	emp**ie**za	p**ie**nsa
c**ie**rre	emp**ie**ce	p**ie**nse
cerrad	empezad	pensad
c**ie**rren	emp**ie**cen	p**ie**nsen

- O › UE

Contar	Dormir	Volver
c**ue**nta	d**ue**rme	v**ue**lve
c**ue**nte	d**ue**rma	v**ue**lva
contad	dormid	volved
c**ue**nten	d**ue**rman	v**ue**lvan

• U › UE

Jugar
juega
juegue
jugad
jueguen

• E › I

Elegir	Pedir	Vestir
elige	pide	viste
elija	pida	vista
elegid	pedid	vestid
elijan	pidan	vistan

• I › Y

Construir	Huir
construye	huye
construya	huya
construid	huid
construyan	huyan

Verbos completamente irregulares

Decir	Hacer	Ir	Oír	Poner	Salir	Ser	Tener	Venir
di	**haz**	**ve**	**oye**	**pon**	**sal**	**sé**	**ten**	**ven**
diga	**haga**	**vaya**	**oiga**	**ponga**	**salga**	**sea**	**tenga**	**venga**
decid	haced	id	oíd	poned	salid	sed	tened	venid
digan	**hagan**	**vayan**	**oigan**	**pongan**	**salgan**	**sean**	**tengan**	**vengan**

 La segunda persona del plural *(vosotros/as)* del imperativo es siempre regular.

Verbos reflexivos

Acostarse	Despertarse	Dormirse	Levantarse	Reírse	Vestirse
ac**ué**sta**te**	desp**ié**rta**te**	d**ué**rme**te**	levánta**te**	ríe**te**	vís**te**te
ac**ué**ste**se**	desp**ié**rte**se**	d**ué**rma**se**	levánte**se**	ría**se**	vís**ta**se
acosta**os**	desperta**os**	dorm**í**os	levanta**os**	re**í**os	vest**í**os
ac**ué**sten**se**	desp**ié**rten**se**	d**ué**rman**se**	levánten**se**	rían**se**	vís**tan**se

Pretérito perfecto de indicativo

Verbos regulares

1.ª conjugación -AR CANTAR	2.ª conjugación -ER COMER	3.ª conjugación -IR VIVIR
he cantado	**he** comido	**he** vivido
has cantado	**has** comido	**has** vivido
ha cantado	**ha** comido	**ha** vivido
hemos cantado	**hemos** comido	**hemos** vivido
habéis cantado	**habéis** comido	**habéis** vivido
han cantado	**han** comido	**han** vivido

Participios irregulares

abrir › **abierto**	escribir › **escrito**	poner › **puesto**	romper › **roto**
cubrir › **cubierto**	hacer › **hecho**	prever › **previsto**	satisfacer › **satisfecho**
decir › **dicho**	imprimir › **impreso, imprimido**	resolver › **resuelto**	ver › **visto**
descubrir › **descubierto**	morir › **muerto**	revolver › **revuelto**	volver › **vuelto**

Pretérito indefinido

Verbos regulares

1.ª conjugación -AR CANTAR	2.ª conjugación -ER COMER	3.ª conjugación -IR VIVIR
canté	comí	viví
cantaste	comiste	viviste
cantó	comió	vivió
cantamos	comimos	vivimos
cantasteis	comisteis	vivisteis
cantaron	comieron	vivieron

Verbos con cambios gráficos

• C › QU

Buscar	Pescar
busqué	pesqué
buscaste	pescaste
buscó	pescó
buscamos	pescamos
buscasteis	pescasteis
buscaron	pescaron

• G › GU

Jugar	Pegar
jugué	pegué
jugaste	pegaste
jugó	pegó
jugamos	pegamos
jugasteis	pegasteis
jugaron	pegaron

• Z › C

Comenzar	Empezar
comencé	empecé
comenzaste	empezaste
comenzó	empezó
comenzamos	empezamos
comenzasteis	empezasteis
comenzaron	empezaron

Verbos irregulares

Verbos irregulares en la raíz verbal

Andar	Caber	Estar	Haber	Hacer	Poder
anduve	cupe	estuve	hube	hice	pude
anduviste	cupiste	estuviste	hubiste	hiciste	pudiste
anduvo	cupo	estuvo	hubo	hizo	pudo
anduvimos	cupimos	estuvimos	hubimos	hicimos	pudimos
anduvisteis	cupisteis	estuvisteis	hubisteis	hicisteis	pudisteis
anduvieron	cupieron	estuvieron	hubieron	hicieron	pudieron

Poner	Querer	Saber	Tener	Venir
puse	quise	supe	tuve	vine
pusiste	quisiste	supiste	tuviste	viniste
puso	quiso	supo	tuvo	vino
pusimos	quisimos	supimos	tuvimos	vinimos
pusisteis	quisisteis	supisteis	tuvisteis	vinisteis
pusieron	quisieron	supieron	tuvieron	vinieron

> **Fíjate:**
> En este grupo de verbos también cambia el acento habitual del pretérito indefinido:
> quisé › quise
> tuvó › tuvo

Los verbos que tienen *j* en la raíz verbal pierden la *i* en la tercera persona del plural:

Conducir	Decir	Traducir	Traer
conduje	dije	traduje	traje
condujiste	dijiste	tradujiste	trajiste
condujo	dijo	tradujo	trajo
condujimos	dijimos	tradujimos	trajimos
condujisteis	dijisteis	tradujisteis	trajisteis
condujeron	dijeron	tradujeron	trajeron

Verbos irregulares en la tercera persona

• E › I

Divertirse	Elegir	Impedir	Medir	Mentir	Pedir
me divertí	elegí	impedí	medí	mentí	pedí
te divertiste	elegiste	impediste	mediste	mentiste	pediste
se divirtió	eligió	impidió	midió	mintió	pidió
nos divertimos	elegimos	impedimos	medimos	mentimos	pedimos
os divertisteis	elegisteis	impedisteis	medisteis	mentisteis	pedisteis
se divirtieron	eligieron	impidieron	midieron	mintieron	pidieron

Reír	Repetir	Seguir	Sentir	Servir	Sonreír
reí	repetí	seguí	sentí	serví	sonreí
reíste	repetiste	seguiste	sentiste	serviste	sonreíste
rio	repitió	siguió	sintió	sirvió	sonrió
reímos	repetimos	seguimos	sentimos	servimos	sonreímos
reísteis	repetisteis	seguisteis	sentisteis	servisteis	sonreísteis
rieron	repitieron	siguieron	sintieron	sirvieron	sonrieron

Fíjate:
Todos los verbos de este grupo son de la tercera conjugación *(-ir)*.

• O › U

Dormir	Morir
dormí	morí
dormiste	moriste
durmió	murió
dormimos	morimos
dormisteis	moristeis
durmieron	murieron

Fíjate:
Esta irregularidad solo
la tienen los verbos
dormir y *morir*.

• I › Y

Caer	Concluir	Construir	Contribuir	Creer
caí	concluí	construí	contribuí	creí
caíste	concluiste	construiste	contribuiste	creíste
cayó	concluyó	construyó	contribuyó	creyó
caímos	concluimos	construimos	contribuimos	creímos
caísteis	concluisteis	construisteis	contribuisteis	creísteis
cayeron	concluyeron	construyeron	contribuyeron	creyeron

Destruir	Huir	Leer	Oír	Sustituir
destruí	hui	leí	oí	sustituí
destruiste	huiste	leíste	oíste	sustituiste
destruyó	huyó	leyó	oyó	sustituyó
destruimos	huimos	leímos	oímos	sustituimos
destruisteis	huisteis	leísteis	oísteis	sustituisteis
destruyeron	huyeron	leyeron	oyeron	sustituyeron

Verbos con irregularidades propias

Dar	Ir/Ser
di	fui
diste	fuiste
dio	fue
dimos	fuimos
disteis	fuisteis
dieron	fueron

Recuerda:
Las formas de los verbos *ir* y *ser* coinciden en pretérito indefinido. Solo se distinguen por el contexto en que aparecen.

Pretérito imperfecto de indicativo

Verbos regulares

1.ª conjugación -AR CANTAR	2.ª conjugación -ER COMER	3.ª conjugación -IR VIVIR
cantaba	comía	vivía
cantabas	comías	vivías
cantaba	comía	vivía
cantábamos	comíamos	vivíamos
cantabais	comíais	vivíais
cantaban	comían	vivían

Verbos irregulares

Ser	Ir	Ver
era	**iba**	**veía**
eras	**ibas**	**veías**
era	**iba**	**veía**
éramos	**íbamos**	**veíamos**
erais	**ibais**	**veíais**
eran	**iban**	**veían**

Pretérito pluscuamperfecto de indicativo

Verbos regulares

1.ª conjugación -AR CANTAR	2.ª conjugación -ER COMER	3.ª conjugación -IR VIVIR
había cantado	**había** comido	**había** vivido
habías cantado	**habías** comido	**habías** vivido
había cantado	**había** comido	**había** vivido
habíamos cantado	**habíamos** comido	**habíamos** vivido
habíais cantado	**habíais** comido	**habíais** vivido
habían cantado	**habían** comido	**habían** vivido

Participios irregulares

abrir > **abierto**	escribir > **escrito**	poner > **puesto**	romper > **roto**
cubrir > **cubierto**	hacer > **hecho**	prever > **previsto**	satisfacer > **satisfecho**
decir > **dicho**	imprimir > **impreso, imprimido**	resolver > **resuelto**	ver > **visto**
descubrir > **descubierto**	morir > **muerto**	revolver > **revuelto**	volver > **vuelto**

Futuro simple de indicativo

Verbos regulares

1.ª conjugación -AR CANTAR	2.ª conjugación -ER COMER	3.ª conjugación -IR VIVIR
cantaré	comeré	viviré
cantarás	comerás	vivirás
cantará	comerá	vivirá
cantaremos	comeremos	viviremos
cantaréis	comeréis	viviréis
cantarán	comerán	vivirán

Verbos irregulares

Caber	Decir	Haber	Hacer	Poder	Poner
cabré	diré	habré	haré	podré	pondré
cabrás	dirás	habrás	harás	podrás	pondrás
cabrá	dirá	habrá	hará	podrá	pondrá
cabremos	diremos	habremos	haremos	podremos	pondremos
cabréis	diréis	habréis	haréis	podréis	pondréis
cabrán	dirán	habrán	harán	podrán	pondrán

Querer	Saber	Salir	Tener	Valer	Venir
querré	sabré	saldré	tendré	valdré	vendré
querrás	sabrás	saldrás	tendrás	valdrás	vendrás
querrá	sabrá	saldrá	tendrá	valdrá	vendrá
querremos	sabremos	saldremos	tendremos	valdremos	vendremos
querréis	sabréis	saldréis	tendréis	valdréis	vendréis
querrán	sabrán	saldrán	tendrán	valdrán	vendrán

Futuro compuesto de indicativo

Verbos regulares

1.ª conjugación -AR CANTAR	2.ª conjugación -ER COMER	3.ª conjugación -IR VIVIR
habré cantado	habré comido	habré vivido
habrás cantado	habrás comido	habrás vivido
habrá cantado	habrá comido	habrá vivido
habremos cantado	habremos comido	habremos vivido
habréis cantado	habréis comido	habréis vivido
habrán cantado	habrán comido	habrán vivido

Participios irregulares

abrir › **abierto**	escribir › **escrito**	poner › **puesto**	romper › **roto**
cubrir › **cubierto**	hacer › **hecho**	prever › **previsto**	satisfacer › **satisfecho**
decir › **dicho**	imprimir › **impreso, imprimido**	resolver › **resuelto**	ver › **visto**
descubrir › **descubierto**	morir › **muerto**	revolver › **revuelto**	volver › **vuelto**

Condicional simple

1.ª conjugación -AR CANTAR	2.ª conjugación -ER COMER	3.ª conjugación -IR VIVIR
cantaría	comería	viviría
cantarías	comerías	vivirías
cantaría	comería	viviría
cantaríamos	comeríamos	viviríamos
cantaríais	comeríais	viviríais
cantarían	comerían	vivirían

Verbos irregulares

Caber	Decir	Haber	Hacer	Poder	Poner
cabría	diría	habría	haría	podría	pondría
cabrías	dirías	habrías	harías	podrías	pondrías
cabría	diría	habría	haría	podría	pondría
cabríamos	diríamos	habríamos	haríamos	podríamos	pondríamos
cabríais	diríais	habríais	haríais	podríais	pondríais
cabrían	dirían	habrían	harían	podrían	pondrían

Querer	Saber	Salir	Tener	Valer	Venir
querría	sabría	saldría	tendría	valdría	vendría
querrías	sabrías	saldrías	tendrías	valdrías	vendrías
querría	sabría	saldría	tendría	valdría	vendría
querríamos	sabríamos	saldríamos	tendríamos	valdríamos	vendríamos
querríais	sabríais	saldríais	tendríais	valdríais	vendríais
querrían	sabrían	saldrían	tendrían	valdrían	vendrían

Presente de subjuntivo

Verbos regulares

1.ª conjugación -AR CANTAR	2.ª conjugación -ER COMER	3.ª conjugación -IR VIVIR
cante	coma	viva
cantes	comas	vivas
cante	coma	viva
cantemos	comamos	vivamos
cantéis	comáis	viváis
canten	coman	vivan

Verbos irregulares

Irregularidades vocálicas

• E › IE (verbos en -AR y -ER)

Comenzar	Otros verbos		Entender	Otros verbos
comience	calentar, cerrar,		entienda	encender,
comiences	despertarse,		entiendas	perder, querer,
comience	negar, pensar...		entienda	tender...
comencemos			entendamos	
comencéis			entendáis	
comiencen			entiendan	

• E › IE + E › I (verbos en -IR)

Mentir	Otros verbos		Soñar	Poder	Otros verbos
mienta	convertir,		sueñe	pueda	acordarse,
mientas	divertirse, herir,		sueñes	puedas	acostarse,
mienta	invertir, sentir,		sueñe	pueda	contar, soler,
mintamos	sugerir...		soñemos	podamos	volver...
mintáis			soñéis	podáis	
mientan			sueñen	puedan	

• O › UE (verbos en -AR y -ER)

• O › UE + O › U   **• U › UE**   **• E › I**   **• I › Y**

Dormir	Otros verbos	Jugar	Pedir	Otros verbos	Construir	Otros verbos
duerma	morir	juegue	pida	elegir, reírse,	construya	concluir,
duermas		juegues	pidas	repetir, servir,	construyas	contribuir,
duerma		juegue	pida	vestirse...	construya	destruir,
durmamos		juguemos	pidamos		construyamos	huir...
durmáis		juguéis	pidáis		construyáis	
duerman		jueguen	pidan		construyan	

Verbos con la primera persona irregular en presente de indicativo

• Verbos en -ZC- *(conduzco, conozco, obedezco, produzco, traduzco)*

Conducir	Conocer	Obedecer	Producir	Traducir
conduzca	conozca	obedezca	produzca	traduzca
conduzcas	conozcas	obedezcas	produzcas	traduzcas
conduzca	conozca	obedezca	produzca	traduzca
conduzcamos	conozcamos	obedezcamos	produzcamos	traduzcamos
conduzcáis	conozcáis	obedezcáis	produzcáis	traduzcáis
conduzcan	conozcan	obedezcan	produzcan	traduzcan

Otros verbos

agradecer, crecer, desaparecer, nacer, ofrecer, parecer, reducir...

- **Otros verbos irregulares en la primera persona** *(caigo, digo, hago, oigo, pongo, salgo, tengo, traigo, valgo, vengo)*

Caer	Decir	Hacer	Oír	Poner
caiga	**diga**	**haga**	**oiga**	**ponga**
caigas	**digas**	**hagas**	**oigas**	**pongas**
caiga	**diga**	**haga**	**oiga**	**ponga**
caigamos	**digamos**	**hagamos**	**oigamos**	**pongamos**
caigáis	**digáis**	**hagáis**	**oigáis**	**pongáis**
caigan	**digan**	**hagan**	**oigan**	**pongan**

Salir	Tener	Traer	Valer	Venir
salga	**tenga**	**traiga**	**valga**	**venga**
salgas	**tengas**	**traigas**	**valgas**	**vengas**
salga	**tenga**	**traiga**	**valga**	**venga**
salgamos	**tengamos**	**traigamos**	**valgamos**	**vengamos**
salgáis	**tengáis**	**traigáis**	**valgáis**	**vengáis**
salgan	**tengan**	**traigan**	**valgan**	**vengan**

Verbos con irregularidades propias

Haber	Ir	Saber	Ser	Ver
haya	**vaya**	**sepa**	**sea**	**vea**
hayas	**vayas**	**sepas**	**seas**	**veas**
haya	**vaya**	**sepa**	**sea**	**vea**
hayamos	**vayamos**	**sepamos**	**seamos**	**veamos**
hayáis	**vayáis**	**sepáis**	**seáis**	**veáis**
hayan	**vayan**	**sepan**	**sean**	**vean**

Verbos con cambios gráficos

• G › J	• C › Z	• Z › C	• GU › G	• G › GU	• C › QU
Coger	Convencer	Cazar	Distinguir	Investigar	Tocar
co**j**a	conven**z**a	ca**c**e	distin**g**a	investi**gu**e	to**qu**e
co**j**as	conven**z**as	ca**c**es	distin**g**as	investi**gu**es	to**qu**es
co**j**a	conven**z**a	ca**c**e	distin**g**a	investi**gu**e	to**qu**e
co**j**amos	conven**z**amos	ca**c**emos	distin**g**amos	investi**gu**emos	to**qu**emos
co**j**áis	conven**z**áis	ca**c**éis	distin**g**áis	investi**gu**éis	to**qu**éis
co**j**an	conven**z**an	ca**c**en	distin**g**an	investi**gu**en	to**qu**en

Dar		Estar	
dé	Fíjate: El verbo *dar* lleva una tilde diacrítica en la primera y tercera personas del singular para que no se confunda con la preposición *de*.	**esté**	Fíjate: El verbo *estar* cambia la sílaba tónica habitual del presente de subjuntivo en todas las personas del singular y en la tercera del plural.
des		**estés**	
dé		**esté**	
demos		estemos	
deis		**estéis**	
den		**estén**	

Verbos regulares

1.ª conjugación -AR CANTAR	2.ª conjugación -ER COMER	3.ª conjugación -IR VIVIR
haya cantado	**haya** comido	**haya** vivido
hayas cantado	**hayas** comido	**hayas** vivido
haya cantado	**haya** comido	**haya** vivido
hayamos cantado	**hayamos** comido	**hayamos** vivido
hayáis cantado	**hayáis** comido	**hayáis** vivido
hayan cantado	**hayan** comido	**hayan** vivido

Participios irregulares

abrir › **abierto**	escribir › **escrito**	poner › **puesto**	romper › **roto**
cubrir › **cubierto**	hacer › **hecho**	prever › **previsto**	satisfacer › **satisfecho**
decir › **dicho**	imprimir › **impreso, imprimido**	resolver › **resuelto**	ver › **visto**
descubrir › **descubierto**	morir › **muerto**	revolver › **revuelto**	volver › **vuelto**

Unidad 1: Encuentro de culturas

1. **1.** península (no tiene relación con el agua); **2.** cordillera (no tiene relación con el mar); **3.** costa (está a nivel del mar); **4.** desierto (es más seco y apenas hay vegetación).

1a. **1.** lagos; **2.** montañas; **3.** campos/valles; **4.** costa; **5.** península; **6.** cabos; **7.** playas; **8.** mar; **9.** pico; **10.** península; **11.** cordillera; **12.** desierto; **13.** costa; **14.** mar.

2. **Horizontales: 1.** década; **2.** musulmanes; **3.** templos; **4.** etapa; **5.** cristianos. **Verticales: 1.** mezquita; **2.** siglo; **3.** religiones; **4.** iglesias; **5.** creyente; **6.** época; **7.** judíos.

2a. **1.** década; **2.** siglo; **3.** musulmanes; **4.** cristianos; **5.** etapas; **6.** época; **7.** judíos; **8.** creyentes; **9.** templos; **10.** religiones; **11.** Mezquita; **12.** iglesias.

3. **1.** f; **2.** e; **3.** c; **4.** d; **5.** b; **6.** c; **7.** c; **8.** a.

3a. **1.** uno coma siete por ciento; **2.** treinta y cinco punto cinco por ciento; **3.** veinte coma cuatro por ciento; **4.** cuarenta y cinco punto nueve por ciento; **5.** cincuenta por ciento; **6.** trece punto ocho por ciento; **7.** dieciséis coma nueve por ciento; **8.** noventa por ciento.

4. **1.** advierto; **2.** ha asegurado, Ha añadido; **3.** reconoció; **4.** repito; **5.** afirma.

5. **1.** salí/he salido, hacía; **2.** hemos recibido; **3.** dijo, sabíamos; **4.** vino/ha venido, tenía; **5.** fui, estaba; **6.** iba, he visto.

6. **1.** continuamos; **2.** Hicimos; **3.** Dimos; **4.** cayeron; **5.** llegamos; **6.** eran; **7.** dejamos; **8.** nos fuimos; **9.** hemos parado; **10.** hemos paseado; **11.** hemos llegado; **12.** hemos hecho; **13.** hemos tenido/teníamos; **14.** cabíamos; **15.** hemos visitado; **16.** se hizo; **17.** mencionó/menciona; **18.** vivió; **19.** era; **20.** hemos ido; **21.** fueron; **22.** hemos estado; **23.** ha ganado; **24.** hemos llegado; **25.** se estaba; **26.** ha sido; **27.** he visto; **28.** han dicho.

6a. **1.** perfecto (9, 10, 11, 12, 13, 15, 20, 22, 24, 28); **2.** experiencias (23, 26, 27); **3.** indefinido; **4.** terminado (1, 2, 3, 4, 5, 7, 8, 16, 17, 18, 21); **5.** imperfecto; **6.** desarrollo (6, 13, 14, 19, 25); **7.** indefinido/perfecto; **8.** indefinido/perfecto; **9.** imperfecto (5-6, 13-14, 18-19, 24-25).

7. **1.** c, encontramos, habían cerrado; **2.** h, dije, había preparado; **3.** i, había estado; **4.** b, fui, había avisado; **5.** f, llegué, di, había olvidado; **6.** d, Fuimos, habían recomendado; **7.** a, quedaron, habías hecho; **8.** g, Sacó, había estudiado; **9.** e, dije, se había enterado.

7a. **Hablar de un pasado anterior a otro pasado:** habían cerrado, había avisado, había olvidado, habían recomendado, había estudiado; **Hablar de una experiencia que se tiene por primera vez:** había estado, habías hecho; **Expresar la inmediatez de una acción:** había preparado; se había enterado.

8. Respuesta abierta.

9. **1.** Jorge Luis Borges dijo que uno no era lo que era por lo que escribía, sino por lo que había leído; **2.** Pablo Neruda dijo que podían cortar todas las flores, pero que no podían detener la primavera; **3.** Almudena Grandes dijo que había alcanzado a comprender que el tiempo nunca se ganaba y nunca se perdía, que la vida se gastaba, simplemente; **4.** Carmen Martín Gaite dijo que había conocido a mucha gente a lo largo de su vida que, en nombre de ganar dinero para vivir, se lo tomaban tan en serio que se olvidaban de vivir; **5.** Federico García Lorca dijo que en la bandera de la libertad había bordado el amor más grande de su vida; **6.** Francisco de Quevedo dijo que nadie ofrecía tanto como el que no iba a cumplir.

10. **1.** Me preguntó que por qué no había ido el día anterior; **2.** Hemos tenido/Tuvimos problemas con el servidor; **3.** Dijo que no podíamos quedarnos allí porque iba a empezar a llover; **4.** Me ha preguntado si quiero/quería ir con ellos al cine; **5.** Promoveremos el uso de las bicicletas en la ciudad; **6.** Me ha preguntado si me he apuntado a la excursión; **7.** ¿Dónde os conocisteis?; **8.** Laura me contó que aquella era la escuela en la que habían estudiado sus hermanos y ella; **9.** He revisado/Revisé este informe varias veces; **10.** ¡Salgan/Tienen que salir rápidamente de aquí!

11. **Posible respuesta:**
Mensaje 1: Tu madre ha llamado varias veces y ha preguntado que a qué hora llegabas y que por qué no contestabas al teléfono; quiere saber si has llegado para quedarse tranquila; **Mensaje 2:** El centro de salud te recuerda que tienes una cita con el dermatólogo el martes 2 de junio a las cuatro de la tarde. Que si no te es posible ir, puedes cancelar la cita en el 91 200 14 15; **Mensaje 3:** Tu colega Ana pregunta que si sabes dónde está la documentación del señor Gómez, dice que no la encuentra y que si puede buscar por tu mesa; **Mensaje 4:** Tu jefe pregunta si puedes llamarlo después de la reunión y te recuerda que tienes que comentarles a los de Salamanca lo de las jornadas de verano; **Mensaje 5:** La dependienta de la zapatería llamó ayer y dijo que podías pasarte por allí para recoger unas sandalias que habías encargado, pero que cerraban a mediodía; **Mensaje 6:** Tu amiga Lucía te llamó el lunes. Te preguntaba si íbamos a ir al cumpleaños de Carmen, que a ella no le apetecía ir, pero que si íbamos nosotros, ella también, para hablar un poco.

12. **1.** Iberia; **2.** Hispania; **3.** Sefarad; **4.** al-Ándalus.

13. **1.** romana; **2.** judía; **3.** musulmana; **4.** judía; **5.** romana; **6.** musulmana.

13a. **1.** Teatro romano de Mérida; **2.** Sinagoga de Santa María la Blanca, Toledo; **3.** Alhambra de Granada; **4.** Sinagoga de Córdoba; **5.** Arco de Bará, Tarragona; **6.** La Giralda de Sevilla.

14. **1.** c; **2.** e; **3.** d; **4.** b; **5.** a.

Unidad 2: EnREDados

1. 1, 2, 4, 6, 7, 9, 10, 12, 15, 17, 18, 20.

1a. **A.** 9; **B.** 2; **C.** 15; **D.** 10; **E.** 1; **F.** 12; **G.** 6; **H.** 7; **I.** 17; **J.** 4; **K.** 18; **L.** 20.

2. **1.** reenviar; **2.** adjuntar; **3.** compartir; **4.** subir/colgar; **5.** intercambiar; **6.** bajar/descargar.

3. **1.** descargar; **2.** ratón; **3.** antivirus; **4.** pantalla; **5.** lápiz de memoria; **6.** contraseña; **7.** navegador; **8.** enlace; **9.** adjuntar.

4. **1.** reenvias; **2.** adjunto; **3.** instalarte; **4.** crear; **5.** colgar; **6.** intercambiar; **7.** descargarse; **8.** navegas.

5. **1.** un programa; **2.** un archivo; **3.** una imagen; **4.** una cuenta; **5.** un perfil; **6.** una página.

6. **A.** 2; **B.** 3; **C.** 4; **D.** 1.

6a. **1.** B; **2.** D; **3.** A; **4.** C; **5.** D; **6.** A; **7.** C; **8.** B.

7. Respuesta abierta.

8. **1.** hables; **2.** hable; **3.** habléis; **4.** comprenda; **5.** comprendamos; **6.** comprendan; **7.** subas; **8.** suba; **9.** subáis.

9. **1.** pierdas; **2.** pierda; **3.** perdamos; **4.** mienta; **5.** mienta; **6.** mintáis; **7.** mientan; **8.** pueda; **9.** podamos; **10.** puedan; **11.** mueras; **12.** muramos; **13.** muráis; **14.** mueran; **15.** siga; **16.** sigamos; **17.** sigáis.

10. **e › ie:** pensar, querer, comenzar, empezar; **e › ie + e › i:** sentir, preferir, invertir; **o › ue:** recordar, almorzar, volver, llover, volar; **e › i:** impedir, repetir, reír, vestir; Regulares: leer, estudiar, imprimir, situar.

11. **1.** hagamos; **2.** construyas; **3.** oigan; **4.** diga; **5.** salgáis; **6.** haya; **7.** sean; **8.** sepáis; **9.** vaya; **10.** traigamos; **11.** conozca; **12.** veas.

11a. **1.** diga; **2.** salgáis; **3.** conozca; **4.** traigamos.

12. **1.** indique; **2.** caiga; **3.** paguen; **4.** impongas; **5.** influya; **6.** reduzca.

13. **Diálogo 1:** hacer una petición, expresar deseo; **Diálogo 2:** pedir permiso, conceder permiso; **Diálogo 3:** pedir consejo o recomendación, dar consejo o recomendación; **Diálogo 4:** pedir permiso, conceder permiso; **Diálogo 5:** dar consejo o recomendación; **Diálogo 6:** expresar prohibición, conceder permiso; **Diálogo 7:** pedir permiso, hacer una petición, expresar deseo, conceder permiso.

14. **1.** c; **2.** e; **3.** a; **4.** b; **5.** d; **6.** f.

15. **1.** C; **2.** I, que me escuches; **3.** I, terminemos; **4.** C; **5.** C; **6.** C; **7.** I, cenemos; **8.** I, llevéis; **9.** C; **10.** I, que veamos; **11.** I, ayudes; **12.** C.

16. **1.** Fija; **2.** Tómatelo; **3.** No enciendas; **4.** vete; **5.** Apaga; **6.** establece; **7.** no caigas; **8.** desactiva; **9.** no te conectes; **10.** Usa; **11.** déjate; **12.** Dedícate; **13.** sal; **14.** practica; **15.** cocina; **16.** No tengas; **17.** adopta; **18.** haz; **19.** desinstala; **20.** Recuerda.

16a. **1.** no fijes; **2.** no te lo tomes; **3.** enciende; **4.** no te vayas; **5.** no apagues; **6.** no establezcas; **7.** cae; **8.** no desactives; **9.** conéctate; **10.** no uses; **11.** no te dejes; **12.** no te dediques; **13.** No salgas; **14.** no practiques; **15.** no cocines; **16.** ten; **17.** no adoptes; **18.** no hagas; **19.** no desinstales; **20.** no recuerdes.

16b. Respuesta abierta.

17. **1.** ábrela; **2.** no las cojas; **3.** no se lo digas; **4.** cómpraselo tú; **5.** envíemelos; **6.** Pedídselas; **7.** no los abráis; **8.** siéntese.

18. **1.** c; **2.** b; **3.** a; **4.** c; **5.** b; **6.** c; **7.** a; **8.** c.

19. **1.** d; **2.** e; **3.** g; **4.** a; **5.** j; **6.** i; **7.** b; **8.** f; **9.** h; **10.** c.

Unidad 3: Un poco de educación

1. **1.** aprendizaje; **2.** cursos; **3.** clases; **4.** asignaturas; **5.** bachillerato; **6.** intercambio; **7.** matrícula; **8.** horarios.

1a. **1.** Instalaciones, aulas, sala de conferencias, secretaría, aula multimedia, biblioteca, sala de profesores, cafetería; **2.** profesor, profesora, estudiantes; **3.** cursos, intensivos, lecciones particulares, *online*, cursos específicos, intercambio; **4.** bachillerato, secundaria; **5.** Asignaturas, Historia, Arte, Literatura; **6.** escuela, aprendizaje, estudiar, clases, estudio, matrícula, horarios.

1b. un curso específico, clases/lecciones particulares, un curso intensivo, programa de intercambio.

2. **1.** b; **2.** c; **3.** c; **4.** b; **5.** a; **6.** c.

3. **1.** Suspendí; **2.** Repito/Estoy repitiendo; **3.** se ha matriculado; **4.** ha pedido/ha solicitado; **5.** apruebe; **6.** sacará; **7.** ha corregido; **8.** hará/va a hacer.

4. **1.** d; **2.** c; **3.** b; **4.** a; **5.** f; **6.** e; **7.** h; **8.** g.

5. Respuesta abierta.

6. **1.** vengáis; **2.** apruebe; **3.** hagamos; **4.** cambie, siga; **5.** salgamos; **6.** sea, pueda.

7. Respuesta abierta.

8. **1.** ¡Que tengáis buen viaje!; **2.** ¡Que cumplas muchos más!; **3.** ¡Que te mejores!; **4.** ¡Que aproveche!; **5.** ¡Que os divirtáis!; **6.** ¡Que tengas suerte!

9. **Posible respuesta:**

Te aconsejo/Te recomiendo/Es recomendable/Es aconsejable que tengas paciencia, que vayas, que te plantees, que te premies, que evites, que leas, que busques, que organices, que utilices, que aprendas, que uses, que apuntes, que las repases, que veas, que distribuyas, que programes, que te unas, que busques.

10. **Posible respuesta:**

1. Por favor, te pido que me dejes terminar este ejercicio;

2. Te suplico que me expliques la situación, quiero entenderla; **3.** Os pido que vayáis con él, necesita vuestra ayuda; **4.** Le ruego que se siente aquí y espere, por favor; **5.** Os pido que salgáis en orden y en silencio.

11. **1.** Está prohibido fumar/que los estudiantes fumen; **2.** Está prohibido circular/que los estudiantes circulen en coche o moto dentro del campus; **3.** Está prohibido llevar/que los estudiantes lleven mascotas a clase; **4.** Está prohibido consumir/que los estudiantes consuman bebidas alcohólicas.

11a. Respuesta abierta.

12. **1.** c; **2.** b; **3.** c; **4.** a; **5.** b; **6.** a; **7.** c; **8.** a; **9.** b; **10.** b.

12a. Consejo o recomendación: 4, 7, 8; **Prohibición:** 2, 10; **Permiso:** 10; **Deseo:** 1, 3, 5; **Petición:** 3, 6, 9.

13. **1.** E; **2.** J; **3.** E; **4.** E; **5.** E; **6.** J.

13a. **1.** nos ha rogado; **2.** seamos; **3.** espero; **4.** ponga; **5.** hablemos; **6.** entiendo; **7.** entren; **8.** ha pedido; **9.** llegue; **10.** estudies; **11.** ponga; **12.** suspendo.

14. **1.** disfrute; **2.** sea; **3.** incorpore; **4.** aplique; **5.** lleve; **6.** escuche; **7.** permita; **8.** genere.

14a. Respuesta abierta.

15. **1.** y sacó 376 puntos; **2.** en educación primaria; **3.** un 90 % de cobertura; **4.** educación media superior; **5.** en 2030; **6.** la cobertura universal para 2095; **7.** su formación y sus salarios; **8.** de esa cantidad.

15a. 2, 3.

Unidad 4: ¡Súmate!

1. **1.** desperdiciarás/desperdicias; **2.** tires, reparar; **3.** dejas; **4.** alargar, reutilizar (reutilizarlos); **5.** reciclar, reducir.

2. **Animales en peligro de** extinción: lince ibérico, armadillo, oso polar, colibrí; **Desastres** naturales: sequía, huracanes, inundaciones, tsunamis; **Acción del** hombre: vertidos tóxicos, tala de árboles, generación de residuos, consumismo; **Consecuencias:** deforestación, deshielo, ola de calor, calentamiento global, cambio climático; **Energías** renovables: biomasa, eólica, solar; **Energías** fósiles: carbón, gas, petróleo.

3. **1.** Reducir las emisiones de dióxido de carbono; **2.** Cultivo masivo de alimentos; **3.** Pérdida del hábitat natural; **4.** Apostar por el consumo responsable; **5.** Recogida selectiva de basura; **6.** Luchar contra el cambio climático.

4. Respuesta abierta.

5. **1.** contaminar, contaminado/a; **2.** el reciclaje, reciclado/a; **3.** reutilizar, la reutilización; **4.** ahorrar, ahorrado/a; **5.** la extinción, extinguido/a; **6.** reducir, la reducción; **7.** talar, la tala; **8.** la deforestación, deforestado/a.

6. **A.** 2; **B.** 6; **C.** 3; **D.** 4; **E.** 5; **F.** 1.

6a. **1.** eléctrico; **2.** bicicletas; **3.** bici; **4.** transporte; **5.** reducir; **6.** vehículos/coches; **7.** efecto invernadero; **8.** petróleo; **9.** vertido; **10.** limpieza; **11.** medioambiental; **12.** flota; **13.** río; **14.** deforestación; **15.** preservar; **16.** bosques; **17.** incendios; **18.** tala; **19.** agricultura.

7. **1.** c; **2.** a; **3.** b; **1.** podemos; **2.** tenemos; **3.** es; **4.** trabajo; **5.** es; **6.** dependa; **7.** tiene; **8.** tiene; **9.** puede; **10.** están; **11.** es; **12.** tienen; **13.** son; **14.** tienes; **15.** sean; **16.** debemos.

7a. Respuesta abierta.

8. **A.** 2, Gentrificación en las ciudades; **B.** 3, Construcción de un *macroparking* subterráneo en el barrio; **C.** 1, Creación de superislas en las ciudades.

8a. **1.** permitan, A; **2.** habilitar, C; **3.** se modernicen, abran, haya, A; **4.** prohibir, C; **5.** intenten, B; **6.** apostar, pueda, B.

9. **1.** tiene; **2.** puede; **3.** dependemos; **4.** seamos; **5.** entendamos; **6.** debemos.

10. **1.** indicativo; **2.** subjuntivo; **3.** indicativo; **4.** infinitivo; **5.** subjuntivo; **6.** indicativo; **7.** subjuntivo.

11. **1.** I, Es una suerte que **podamos**...; **2.** C; **3.** I, **Está** muy bien...; **4.** I, ... no parece que **vayan** a venir; **5.** C; **6.** I, No está tan claro que nos **dejen**...; **7.** C; **8.** I, ¿No te parece que Sergio **está**...? Creo que se ha enfadado.

12. Respuesta abierta.

13. **Mariposas monarca:** 4, 6; **Glaciar Perito Moreno:** 2, 5; **Río Amazonas:** 1, 3.

14. **1.** F, viajan desde los bosques de Canadá y Estados Unidos hasta el estado mexicano de Michoacán; **2.** V; **3.** F, es el 90 %; **4.** V; **5.** V; **6.** F, la principal amenaza es tala indiscriminada de árboles.

15. **1.** d; **2.** c; **3.** a; **4.** f; **5.** b; **6.** e.

15a. Respuesta abierta.

Unidad 5: Para siempre

1. 1. Carmen es responsable; 2. Antonio es un poco inseguro; 3. No es fácil ganar la confianza de Julia; 4. José no es tan gracioso como Antonio.

1a. 1. … un poquito arrogante; 2. Yo creo que, en realidad, es un poco inseguro; 3. Julia es bastante introvertida, muy calladita.

2. 1. d; 2. a; 3. e; 4. g; 5. h; 6. f; 7. c; 8. b.

3. in-: maduro/a, fiel, seguro/a, sociable; im-: paciente; i-: responsable; des-: confiado/a, agradable, agradecido/a, honesto/a.

3a. Respuesta abierta.

4. 2. **Posibles ejemplos:** *Juan peca de bueno; María peca de ser demasiado confiada…*

5. 1. trabajadoras; 2. sociables; 3. alegres; 4. tímidos; 5. pesimistas; 6. inseguros; 7. impacientes; 8. responsables; 9. sensibles; 10. orgullosos; 11. optimistas; 12. maduros; 13. sinceras; 14. tranquilos.

6. 1. g; 2. a; 3. e; 4. b; 5. f; 6. d; 7. c.

7. 1. le gusta, hagas; 2. Nos encantan; 3. te interesa, contraten; 4. Prefieres, ponga; 5. te gusta, hablar; 6. le interesa, hacer; 7. le encanta, vayamos.

8. Respuesta abierta.

9. 2, 3, 5.

10. **Posible respuesta:**
    1. me aburre; 2. les preocupa; 3. le sorprende; 4. Te importa; 5. les molesta/fastidia; 6. nos agrada/alegra; 7. te indigna; 8. le fastidia/molesta.

11. 1. A Alberto le da mucha rabia que Laura escuche la música tan alta; 2. A Alberto le pone nervioso que Blanca y Jorge hablen de fútbol; 3. A Blanca le pone de mal humor que Alberto hable de política; 4. A Blanca le da pena que Jorge tome tanta comida rápida; 5. A Laura le pone furiosa que Ernesto gaste tanto papel y que no recicle nada; 6. A Laura le pone contenta que Alberto hable de política; 7. A Ernesto le da rabia que Alberto sea tan desordenado y que sea impuntual; 8. A Sofía le pone furiosa que Jorge juegue a videojuegos en la oficina; 9. A Ernesto y a Sofía les pone nerviosos que Blanca cambie cosas de sitio en la oficina; 10. A Sofía le pone de muy mal humor que Ernesto caliente pescado a la hora de comer.

12. **Posible respuesta:**
    1. Me da pena/Me da lástima/Me pone triste que haya tanta gente que no tiene lo necesario para vivir; 2. La gente que habla sin pensar (me) da vergüenza/me pone nervioso/a; 3. Me da pena/Me da lástima/Me pone triste que abandonen a los perros; 4. Me da igual/Me da lo mismo/(No) Me importa lo que piensen los demás; 5. Las enfermedades me dan miedo; 6. Tomar mucho café me pone nervioso/a; 7. Me da asco que los cubiertos estén sucios.

13. Respuesta abierta.

14. 1. sea; 2. habla; 3. pueda; 4. entienda; 5. está; 6. corten; 7. mida; 8. gustan.

14a. 1. indicativo, ejemplos 2, 5, 8; 2. subjuntivo, ejemplos 1, 3, 4, 6, 7.

15. a. 4; b. 1; c. 5; d. 6; e. 2; f. 3.

15a. Respuesta abierta.

16. 2, 3, 5, 6, 8.

17. **Casa Lleó Morera:** 3, 5, 6; **Casa Amatller:** 2, 3, 5; **Casa Batlló:** 1, 3, 4, 5.

18. 1. a; 2. d; 3. g; 4. c; 5. e; 6. b; 7. f.

Unidad 6: Esta es mi generación

1. 1. infancia; 2. adolescencia; 3. juventud; 4. madurez; 5. tercera edad o vejez.

1a. Respuesta abierta.

1b. 1. b; 2. e, g; 3. c, f; 4. d, h; 5. a.

1c. 1. infancia; 2. adolescencia; 3. juventud; 4. madurez; 5. tercera edad/vejez.

1d. **Posible respuesta:**
    Como la esperanza de vida se ha alargado tanto gracias a la medicina y a la mejora en la salud y el bienestar físico, los papeles atribuidos tradicionalmente a las diferentes etapas de la vida han cambiado. Actualmente, una personal de 60 años está en su periodo de máximo esplendor personal y profesional y, ciertamente, no se la puede considerar una persona de la tercera edad.

2. **Diálogo 1:** estudia, haciendo; **Diálogo 2:** ahorrando, Os casáis/vais a casar, tener; **Diálogo 3:** Estás, encontré, he firmado; **Diálogo 4:** contraje, te jubiles.

3. Respuesta abierta.

4. 1. Fisioterapia; 2. Telecomunicaciones; 3. Enfermería; 4. Derecho; 5. Urbanismo; 6. Periodismo.

5. **Simultaneidad:** cuando, mientras, al, siempre que, cada vez que; **Anterioridad:** antes de; **Posterioridad:** cuando, en cuanto, al, nada más, después de, siempre que, cada vez que; **Inicio y límite temporal:** hasta que, desde que.

5a. 1. Mientras; 2. hasta que; 3. Antes de, después de; 4. Al/Nada más; 5. En cuanto; 6. hasta que; 7. Desde que.

6. A. 5; B. 4; C. 1; D. 8; E. 3; F. 6; G. 2; H. 7.

6a. **Posible respuesta:**
    1. indicativo; 2. *Cuando te veo estresado, prefiero no molestarte*; 3. subjuntivo; 4. *En cuanto termine de fregar los platos, tengo que poner la lavadora*; 5. infinitivo; 6. subjuntivo; 7. *Iré al súper después de pasarme por Correos*; 8. *Después de que mi madre se vaya esta tarde, te llamo*.

7. 1. supiste; **2.** era; **3.** quise; **4.** estaba; **5.** he hecho; **6.** hacía; **7.** tengo; **8.** actúo; **9.** llego; **10.** termines; **11.** acabe; **12.** me iré; **13.** haré; **14.** ofrezcan; **15.** estudiaré; **16.** sea; **17.** podrá.

8. Respuesta abierta.

9. **Futuro simple:** habrá, podrá, sabrá, saldrá, valdrá, dirá, hará, tendrá; **Condicional simple:** habría, podría, sabría, saldría, valdría, diría, haría, tendría.

10. 1. b; **2.** e; **3.** a; **4.** c; **5.** d.

10a.a. 3, gustaría; **b.** 4, volvería, pondría; **c.** 1, llamaría; **d.** 2, tendrían, saldrían; **e.** 5, Me iría; **f.** 3, importaría.

11. 1. Juan dijo que saldría de casa a las diez; **2.** No sabía que lo harían Eva y Pedro; **3.** Luis pensaba que Marta se enfadaría; **4.** Imaginábamos que Silvia querría venir también; **5.** Lola suponía que eso no cabría en la maleta.

12. Posible respuesta:

1. Llegaría tarde al aeropuerto y perdió en avión; **2.** La ofendería y le pidió perdón; **3.** Se enfadaría con él y le despidió; **4.** Le dirían que le había tocado la lotería y se puso muy contenta; **5.** Haría una fiesta y por eso la habitación se quedó tan desordenada; **6.** Discutiría con el policía y le arrestó.

13. Respuesta abierta.

14. 1. En la adolescencia lo que más nos importa de todo son nuestros amigos; **2.** Claro que la familia es igual de importante que antes; **3.** Cada vivencia es la mejor o la peor de nuestra vida; **4.** Cada chico o chica que conocemos es el más guapo o las más guapa del mundo; **5.** Cada amor, aunque dure una semana, es el más intenso que hemos sentido; **6.** La juventud es, de todas las etapas de la vida, la que más determina nuestro futuro; **7.** Comprendemos cuáles son las cosas que más nos interesan, el tipo de relaciones que menos nos conviene.

15. 1. igual de; **2.** la que; **3.** el que; **4.** de todos/de los cuatro; **5.** de; **6.** la que, de; **7.** la más, de; **8.** igual de.

16. Federico García Lorca, Rafael Alberti, Dámaso Alonso, Jorge Guillén, Gerardo Diego.

17. 1. V; **2.** F; **3.** V; **4.** F; **5.** V; **6.** F; **7.** F; **8.** V; **9.** V; **10.** V.

18. 1. película; **2.** cine; **3.** guion; **4.** imagen; **5.** lógica; **6.** mente; **7.** estreno; **8.** escena; **9.** público; **10.** cineastas.

18a. 1. Porque la regla principal era que ninguna imagen debía tener una explicación racional; **2.** Una navaja cortando un ojo; **3.** Por miedo a la reacción del público; **4.** Porque ha marcado a miles de cineastas y artistas.

Unidad 7: Todo es noticia

1. **Pregunta 1:** ¿Qué medio de comunicación prefieres: prensa, radio o televisión?; **Pregunta 2:** ¿Cuánto tiempo dedicas cada día a informarte en estos medios?; **Pregunta 3:** ¿Qué tipo de información te interesa más?; **Pregunta 4:** ¿Qué trabajo relacionado con los medios de comunicación te parece más atractivo? **Cristina:** 1. Radio; **2.** Más de tres horas; **3.** La información nacional y los debates políticos; **4.** Reportera o corresponsal; **Francisco:** 1. Prensa digital; **2.** Algo más de una hora; **3.** La cartelera y las críticas de cine y de teatro; **4.** Crítico de cine o teatro; **Julia:** 1. Televisión; **2.** Menos de una hora; **3.** Noticias internacionales; **4.** Cámara.

1a. 1. oyentes; **2.** radio; **3.** programas, noticias; **4.** debates, te enteras; **5.** prensa digital; **6.** informativos; **7.** cartelera; **8.** crítico de cine; **9.** imagen; **10.** cámaras, reporteros.

1b. Respuesta abierta.

2. espectadores, lectores.

3. 1. medios; **2.** periódicos; **3.** actualidad; **4.** redes sociales; **5.** auge; **6.** plataformas; **7.** usuarios; **8.** rumores; **9.** información; **10.** estudio; **11.** impresos; **12.** liderato; **13.** confianza; **14.** población.

3a. 1. ... la televisión aguanta de momento como el medio de referencia; **2.** ... la televisión, los periódicos –digitales o impresos– y la radio se usan cada vez menos para mantenerse al tanto de la actualidad; **3.** ... la confianza en este tipo de plataformas también baja y, paradójicamente, son sus propios usuarios los que las señalan como las mayores propagadoras de bulos y rumores; **4.** Una de las explicaciones del liderato de la televisión por encima de otro tipo de medio de comunicación está en la confianza que todavía inspira; **5.** ... un 61 % de las personas que tienen entre 18 y 44 años las señalan como su medio predilecto para estar al día.

4. 1. e; **2.** h; **3.** a; **4.** c; **5.** g; **6.** f; **7.** d; **8.** b.

5. 1. Mañana me voy a quedar/voy a quedarme en casa porque va a venir el fontanero para arreglar el fregadero; **2.** Tienes que hablar con tu jefa si quieres solucionar el problema; **3.** Marta ha dejado de comer carne, se ha hecho vegetariana y está muy contenta; **4.** No he visto aún a Enrique, no he tenido tiempo, acabo de llegar; **5.** Estuve en Roma en 2010 y volví a ir el año pasado, es que me encanta; **6.** Coge el paraguas, mira cómo está el cielo, está a punto de llover.

6. 1. a; **2.** b; **3.** b; **4.** c.

7. **Diálogo 1:** estás haciendo, sigo leyendo; **Diálogo 2:** voy mejorando; **Diálogo 3:** llevo trabajando; **Diálogo 4:** andan diciendo.

8. 1. aspectuales; **2.** auxiliar; **3.** en desarrollo; **4.** estar; **5.** en desarrollo.

9. empezará a recibir, estamos a punto de no poder diferenciar, llevamos viviendo, acaba de empezar, están atravesando, seguirán trabajando, van renovándose, tienen que innovar, vuelva a sentir, estamos viviendo, dejaremos de trabajar, vamos a utilizar, tenemos que estar.

9a. **1.** tienen que innovar, tenemos que estar; **2.** vamos a utilizar; **3.** empezará a recibir; **4.** vuelva a sentir; **5.** Dejaremos de trabajar; **6.** acaba de empezar; **7.** estamos a punto de no poder diferenciar; **8.** están atravesando, estamos viviendo; **9.** seguirán trabajando; **10.** llevamos viviendo; **11.** van renovándose.

10. **1.** ya que/dado que; **2.** porque; **3.** Por/A causa de; **4.** Como; **5.** por; **6.** Ya que/Dado que/Como.

11. **Posible respuesta:**

1. Dado que tenía sueño, Carmen se ha acostado; **2.** Como

Miguel tenía fiebre, fue al médico; **3.** Ya que Javi había ahorrado dinero, se compró una bicicleta; **4.** Raúl ha llegado tarde a trabajar porque se ha dormido.

12. **1.** haga; **2.** estés; **3.** gusta; **4.** cuesta; **5.** pida; **6.** sea.

13. **1.** me aburra, estoy; **2.** sea; **3.** tendré; **4.** tenía; **5.** esté, he visto; **6.** parezca, sé.

14. **1.** e; **2.** f; **3.** b; **4.** a; **5.** c; **6.** d.

15. **1.** F; **2.** F; **3.** F; **4.** V; **5.** F; **6.** V; **7.** V; **8.** V.

15a. Respuesta abierta.

Unidad 8: ¿Qué habrá pasado?

1. **1.** tapa, asa: en ollas, cacerolas, botes…; **2.** boca: en botellas, tarros…; **3.** mango, punta: en cubiertos, cacerolas …; **4.** agujero: en paredes, muebles…

2. **1.** plano; **2.** estrecho; **3.** piedra; **4.** ancho.

2a. Respuesta abierta.

3. **1.** aluminio; **2.** círculo; **3.** metal; **4.** alargada; **5.** rectangular; **6.** alargado.

4. **1.** corto; **2.** horizontal; **3.** recto; **4.** redondo; **5.** diagonal; **6.** ancho; **7.** vertical; **8.** alargado; **9.** círculo; **10.** plano.

5. **1.** asas; **2.** tapa; **3.** punta; **4.** mango; **5.** tapón.

6. **1.** horizontal; **2.** circular; **3.** triangular; **4.** rectangular; **5.** vertical; **6.** diagonal.

7. **Posible respuesta:**

1. Hay botellas de cristal que sirven/se han usado como lámparas; **2.** Se han empleado/Se han utilizado unas botas de agua viejas como macetas; **3.** Botellas grandes de agua mineral y palés sirven/se usan para hacer una balsa; **4.** Se han empleado/Se han utilizado neumáticos de coches para hacer sillones; **5.** Se han utilizado/Se han usado tapones para hacer las ruedas de un coche de juguete; **6.** Se han empleado/Se ha utilizado dos viejas bicicletas para diseñar la puerta de una finca.

7a. lámparas; juguetes; macetas; barca; sillones. No se mencionan las puertas.

7b. **1.** F; **2.** V; **3.** V; **4.** F; **5.** F; **6.** V; **7.** V; **8.** F.

8. Respuesta abierta.

9. **1.** habrá llegado, H; **2.** habremos terminado, F;

3. habrán desaparecido, F; **4.** habrás terminado, F; **5.** habrá ido, H; **6.** se habrá dormido, H; **7.** habrá dejado, F; **8.** habrás arreglado, F.

10. **1.** pasará; **2.** notaremos; **3.** habrán puesto; **4.** tendremos; **5.** serán; **6.** habrá subido; **7.** habrán puesto; **8.** estaremos; **9.** habrán mejorado; **10.** haremos; **11.** habrán tenido.

11. Respuesta abierta.

12. **Con indicativo:** 1, 4, 10; **Con indicativo y subjuntivo:** 3, 5, 7, 8, 12; **Con subjuntivo:** 2, 6, 9, 11.

13. **1.** b; **2.** a; **3.** e; **4.** d; **5.** c.

13a. **1.** … Juan quizá celebre su cumpleaños…; **2.** … posiblemente quiera que también vaya Esmeralda…; **3.** Tal vez hable con Juan…

14. Respuesta abierta.

15. **1.** instalen; **2.** atraer; **3.** conozca; **4.** comprobar; **5.** inflar; **6.** viva; **7.** estén; **8.** contaminar.

16. **Posible respuesta:**

1. c, con el fin de; **2.** d, para; **3.** a, para que; **4.** e, a; **5.** f, a que; **6.** b, con el fin de que.

17. **1.** b; **2.** a; **3.** No tiene descripción; **4.** c.

17a. Se ha utilizado el condicional simple porque los textos hacen hipótesis sobre el pasado.

17b. Respuesta abierta.

18. **1.** c; **2.** a; **3.** e; **4.** b; **5.** d; **6.** f.

18a. Respuesta abierta.

19. **1.** F; **2.** V; **3.** V; **4.** F; **5.** F; **6.** V.

Unidad 9: ¿Eres lo que comes?

1. **1.** h; **2.** a; **3.** e; **4.** g; **5.** f; **6.** b; **7.** c; **8.** d.

1a. **1.** proteínas; **2.** semillas; **3.** minerales; **4.** aminoácidos; **5.** dieta; **6.** antibacterianas; **7.** desintoxicante; **8.** fibra.

1b. **1.** No son los aminoácidos, sino las proteínas las que ayudan a estabilizar el nivel de azúcar en sangre; **2.** Las semillas son curativas porque contienen fibra, minerales y aminoácidos, pero no proteínas; **5.** Para perder peso

están indicadas las verduras, no el ajo; **6.** El limón ayuda a desintoxicar el organismo. Son las proteínas las que producen la energía que necesitamos para vivir.

2. **1.** bollería; **2.** refrescos; **3.** pan blanco/pan de mode; **4.** salsas; **5.** *pizza*; **6.** patatas fritas. Todos son alimentos ultraprocesados.

2a. bollería, refrescos, *pizza*.

2b. 1. ingredientes; 2. saludable; 3. el azúcar; 4. sube; 5. frutos secos.

2c. El aceite de oliva, los quesos artesanos, las conservas de verduras o legumbres, entre otros, son productos procesados que sí son saludables porque mejoran la calidad del alimento.

3. 1. judías, frijoles; 2. patata, papa; 3. tomate, jitomate; 4. zumo, jugo.

4. 1. por, causa; 2. para, finalidad; 3. para, finalidad; 4. Por, causa; 5. por/para, puede ser causa de la compra, pero también la finalidad u objeto de la misma; 6. Por/Para, puede entenderse que se pregunta cuál es el motivo, pero también que se pregunta cuál es la finalidad de la visita.

5. 1. por; 2. por; 3. por; 4. para; 5. por; 6. para; 7. para; 8. por; 9. por; 10. para; 11. para; 12. por; 13. para; 14. Para; 15. Por; 16. para; 17. por.

5a. **Por. Causa:** 3, 8, 15, 17; **Tiempo aproximado:** respuesta abierta; **Lugar aproximado:** 1, 2; **Partes del día:** 12; **Intercambio, precio:** 9; **Medio:** 5.

Para. Finalidad: 4, 6, 10, 16; **Plazo de tiempo:** respuesta abierta; **Dirección:** 13; **Opinión:** respuesta abierta; **Destinatario:** 7, 11, 14; **Comparación en contraposición:** respuesta abierta.

6. 1, 3, 5, 6, 7, 8, 11.

7. 1. nos quedamos; 2. imprima; 3. pasamos/pasemos; 4. se salió; 5. termina; 6. se cocine; 7. son.

8. Posible respuesta:

1. Anoche David cenó demasiado, así que hoy le duele el estómago; 2. Anoche Laura estuvo de fiesta hasta muy tarde, de ahí que esté cansada y tenga mucho sueño; 3. Marta se hizo una ortodoncia, de modo que ahora luce una sonrisa perfecta; 4. Marco ha trabajado mucho este año; por consiguiente ha ahorrado bastante y se ha comprado un coche; 5. Rafa Nadal estaba jugando un partido de tenis y empezó a llover, por lo que tuvieron que suspender el partido; 6. Esta mañana Cristina y David han discutido, o sea que ahora están enfadados y no se hablan.

9. Posible respuesta:

1. Se utiliza aceite de oliva para cocinar verduras y legumbres, por lo tanto se aumentan sus propiedades; 2. Se consume mucha fruta y verdura, o sea que hay un gran el aporte de vitaminas, minerales, fibra y otras sustancias beneficiosas para la salud. Además, puede ser la causa de que disminuya el riesgo de padecer algunos tipos de cáncer; 3. Es una dieta rica en polifenoles, así es que puede reducir en un diez por ciento la mortalidad por enfermedades cardiovasculares; 4. Es muy rica en antioxidantes, de manera que ayuda a contrarrestar los efectos negativos que la contaminación tiene en nuestra salud; 5. Mucha gente no sigue la dieta mediterránea, de ahí que esté aumentando el número de personas con sobrepeso y el número de las que padecen enfermedades cardiovasculares.

10. 1. F; 2. V; 3. V; 4. F; 5. V.

11. 1. adaptamos; 2. mejoraremos; 3. reduciremos; 4. estaremos; 5. gozaremos; 6. tienes; 7. trabajas; 8. deben/deberán; 9. toma; 10. realizas; 11. necesitas; 12. te sometes; 13. son/serán; 14. basta/bastará; 15. estás; 16. almuerza; 17. merienda; 18. cena; 19. desayuna; 20. es; 21. es/será; 22. parece; 23. procura; 24. comes.

12. Respuesta abierta.

13. 1. a; 2. c; 3. a; 4. b; 5. c; 6. c.

14. 1. F, son 12 litros; 2. V; 3. V; 4. F, es para fortalecer el sistema inmunológico; 5. F, son 66 millones; 6. V.

15. 1. a; 2. e; 3. c; 4. g; 5. d; 6. f; 7. b.

Unidad 10: Línea de meta

1. 1. Me llamo Rosa. Soy una persona sociable/extravertida. Tengo que admitir que soy impaciente, pero muy trabajadora y responsable. No me gusta la gente arrogante/creída ni tampoco la pesimista; 2. Soy Pedro, una persona callada e introvertida, a la que, sin embargo, le gusta conocer gente; sobre todo si se trata personas imaginativas y creativas. Soy desconfiado, demostradme que me equivoco; 3. Me llamo Laura. Creo que soy una persona madura, seria y honesta/sincera; **no me gusta nada la gente falsa.** Espero encontrar aquí a alguien inquieto y generoso; 4. Mi nombre es Iván. La gente dice que soy una persona tranquila, paciente y que no soy muy optimista/soy un poco pesimista, pero también alguien majo/amable. Pero será mejor que lo descubras tú mism@; 5. Me llamo Lucía. Soy confiada y también soy una persona segura (de mí misma). Creo que soy valiente, que me arriesgo mucho. Mis amigos piensan que debería ser más prudente; 6. Mi nombre es Samuel. Mis amigos dicen que soy gracioso y divertido, aunque también dicen que soy creído. Yo pienso que no es verdad. Confieso que soy un poco vago. Odio a las personas egoístas.

1a. 1. sociable/extravertido(a) ≠ introvertido(a); 2. impaciente ≠ paciente; 3. trabajador(a) ≠ vago(a); 4. pesimista ≠ optimista; 5. desconfiado(a) ≠ confiado(a); 6. serio(a) ≠ gracioso(a); 7. honesto(a)/sincero(a) ≠ falso(a); 8. inquieto(a) ≠ tranquilo(a); 9. generoso(a) ≠ egoísta.

2. 1. compartir; 2. adjuntar; 3. intercambiar; 4. descargar/bajar; 5. subir; 6. usuario; 7. antivirus; 8. contraseña.

2a. Respuesta abierta.

3. **1.** infancia; **2.** crecimiento; **3.** niños; **4.** adolescencia; **5.** adolescente; **6.** juventud; **7.** etapa; **8.** periodos; **9.** década; **10.** carrera; **11.** familiar; **12.** madurez; **13.** edad; **14.** vejez.

3a. Respuesta abierta.

4. **1.** Es un tapón redondo de plástico, sirve para tapar botellas; **2.** Es una lata de aluminio rectangular; se utiliza para envasar alimentos en conserva; **3.** Es un espejo cuadrado; es de cristal y tiene un marco de madera, sirve para mirarse; **4.** Se llama cartabón; es una regla triangular con tres ángulos de 90°, 60° y 30°; es de plástico y se usa para dibujar.

5. **1.** sea; **2.** tener; **3.** terminen; **4.** ayudéis; **5.** corrija; **6.** ver; **7.** siga, cambie; **8.** que me perdones.

6. **1.** piense; **2.** me precipite; **3.** tenga; **4.** busque; **5.** empiece; **6.** esté; **7.** elija; **8.** haga.

7. **1.** Les ha prohibido que salgan antes de la pausa; **2.** Nos ha mandado que vayamos a su casa; **3.** No te permiten que utilices la fotocopiadora; **4.** Os ordeno que vengáis cuanto antes; **5.** ¿Me dejas que coja tu bicicleta un momento?; **6.** ¿Quién os ha permitido que juguéis aquí?

8. **Expresar deseos y preferencias:** esperar, querer, tener ganas, desear; **Hacer peticiones:** rogar, pedir, suplicar; **Dar consejos y hacer recomendaciones:** aconsejar, recomendar, ser aconsejable, sugerir; **Dar órdenes:** mandar, ordenar; **Expresar permiso y prohibición:** prohibir, permitir, dejar.

9. **Carmen. Las películas de terror:** las detesta; **Los musicales:** le ponen de buen humor; **Cenar en sitios con música en vivo:** le molesta que haya música mientras cenan; **Cenar en restaurantes argentinos:** le encanta; **Ir a bailar:** Le da igual.

Manuel. **Las películas de terror:** le divierten; **Los musicales:** no los soporta; **Cenar en sitios con música en vivo:** no le importa que toquen durante la cena; **Cenar en restaurantes argentinos:** odia esos restaurantes; **Ir a bailar:** normalmente no aguanta las discotecas, pero hoy no le importa, le apetece hacer algo distinto.

9a. **1.** que hagan algo juntos; **2.** le aburre; **3.** no le gusten; **4.** le pone nerviosa; **5.** que maten a esos pobres animales; **6.** le pongan un filete en un plato, ver zombis y vampiros; **7.** quiera ir a bailar, no aguanta las discotecas; **8.** le fastidia que haya.

10. **1.** puedan; **2.** estamos; **3.** preserve; **4.** disfruten; **5.** aprendan; **6.** adquieran; **7.** dejen; **8.** tienen; **9.** entiendan/comprendan; **10.** sean; **11.** sepan; **12.** entiendan/comprendan.

11. Expresar sentimientos, expresar finalidad, expresar opinión, expresar valoración.

12. **1.** Sí, hay dos objetos que sirven para beber, la copa y la taza; **2.** Sí, veo una cosa que sirve para hablar, el teléfono; **3.** No, no hay ningún objeto que cueste mucho dinero; **4.** Sí, veo tres objetos que tienen asas, la bolsa, el paraguas y la cesta; **5.** No, no hay nada que sea de piedra; **6.** Sí, hay una cosa que utilizamos para cocinar, los cuchillos; **7.** No, no hay nada que funcione con motor; **8.** Sí, veo objetos que cortan, los cuchillos; **9.** No, no hay ninguna cosa que tenga tapa; **10.** Sí, veo algo con lo que nos vestimos, los pantalones vaqueros.

13. **1.** F; **2.** V; **3.** V; **4.** F; **5.** V; **6.** V; **7.** F; **8.** F.

13a. es posible que, quizá, probablemente, tal vez, puede ser que, es muy poco probable que, no es imposible que.

13b. quizá, probablemente, tal vez.

13c. Respuesta abierta.

14. **1.** c; **2.** e; **3.** a; **4.** j; **5.** d; **6.** i; **7.** b; **8.** f; **9.** h; **10.** g.

15. **1.** d; **2.** c; **3.** e; **4.** b; **5.** a; **6.** f.

Transcripciones

Unidad 1

 [1]

6 de cada 10 españoles se declaran católicos, pero solo el 17.6 % va a la iglesia, según el último barómetro del Centro de Investigaciones Sociológicas. Apenas un 1.7 % dice pertenecer a otra religión distinta a la católica.

Según el barómetro, el 10.7 % de los españoles se considera agnóstico, mientras que los indiferentes o no creyentes suman el 11.7 % y los ateos, el 13.1 %. En total, un 35.5 %.

Además, casi 3 de cada 10 ciudadanos no quieren saber nada de la Iglesia católica.

Las cifras son especialmente rotundas en Cataluña donde a un 45.9 % de los catalanes (si sumamos al 2.2 de los que profesan otra religión) no les importa la Iglesia.

La situación se repite en otras regiones, como la Comunidad Valenciana, donde los practicantes apenas llegan al 13.8 %, o el País Vasco, con un 16.9 % de católicos practicantes. En la Comunidad de Madrid, los católicos practicantes representan un 20.4 % de la población.

Por contra, en la comunidad de La Rioja, los que se definen como católicos llegan al 90 % (40 % practicantes y 50 % no practicantes).

¿Cuál es la razón? Tal y como admiten los obispos, a la progresiva secularización de la sociedad española, que afecta más a las regiones más industrializadas y con mayor índice cultural e interreligioso, como Cataluña, Madrid, Comunidad Valenciana o País Vasco; mientras que en Castilla-La Mancha, Castilla y León, Extremadura o Andalucía la presencia de la Iglesia católica continúa siendo predominante.

Adaptado de https://www.eldiario.es/sociedad/Espana-catolica-creyentes-catolicos-practicantes_0_926707871.html

 [2]

Tiene varios mensajes nuevos.
Mensaje recibido hoy a las nueve y cuarenta.
María, ¿a qué hora llegabas a Salamanca? ¿Y por qué no me contestas al teléfono? Te he llamado ya tres veces. Ya sé que tienes mucho trabajo y no te quiero molestar, pero sabes que no me quedo tranquila hasta que no me dices que has llegado bien. Un beso, hija.

Mensaje recibido hoy a las diez y quince.
Este es un mensaje para María Rodríguez Peña. Le recordamos que tiene una cita en la consulta de su dermatólogo el próximo martes 2 de junio a las 16 horas. Si no le es posible asistir ese día, puede cancelar la cita llamando al 91 200 14 15. Muchas gracias y buen día.

Mensaje recibido hoy a las diez y veinticuatro.
Hola, María, ¿qué tal? Soy Ana. Mira, perdona que te moleste, pero ¿tú sabes dónde dejamos la documentación del señor Gómez? Es que la estoy buscando en el archivador y no la encuentro. ¿Estará por tu mesa? No quiero tocar nada sin tu permiso. Ya me dices… ¡Suerte en Salamanca!

Mensaje recibido hoy a las once y diez.
Hola, María. Soy Roberto, ¿qué tal por Salamanca? ¿Puedes llamarme después de la reunión? Por cierto, acuérdate de que tienes que comentarles lo de las jornadas de puertas abiertas para este verano. A ver qué les parece la idea. Un abrazo.

Mensajes antiguos
Mensaje de ayer a las trece veintitrés.
Buenos días, Sra. Rodríguez. Le llamamos de la zapatería A tus pies. Es para recordarle que ya puede pasarse por aquí para recoger las sandalias que encargó. Nuestro horario es de diez a dos y de cinco a ocho y media de la tarde. Buenos días y muchas gracias.

Mensaje recibido el lunes 25 de mayo a las doce.
¡Hola, linda! Soy Lucía. A ti no hay forma de localizarte…
Una cosa, ¿ustedes van a ir al cumpleaños de Carmen? Es el domingo que viene, ¿no? A mí no me apetece mucho, la verdad, pero si ustedes van, yo también, para vernos y platicar un poco.

 [3]

Profesor: Vamos a ver ahora imágenes de algunos monumentos que se encuentran en España y que pertenecen a diferentes culturas. La primera es de un teatro romano que fue construido en el siglo primero antes de Cristo.
Alumna: Se encuentra en Lérida, ¿verdad?
Profesor: En Lérida no, en Mérida, la capital de Extremadura… La segunda imagen es de la Sinagoga de Santa María la Blanca, que se encuentra en Toledo y fue construida en el siglo XII; es una de las dos sinagogas que se conservan en esta ciudad. La siguiente…
Alumna: Esta la conozco. Es la Alhambra, una fortaleza árabe.
Profesor: Pues sí, es la Alhambra, ¿y sabes dónde se encuentra?
Alumna: En Granada. Estuve allí y la visité.
Profesor: ¿Te gustó?
Alumna: Me encantó, es increíble. Esta foto también es de la Alhambra, ¿no?
Profesor: No, qué va… Es de la Sinagoga de Córdoba.
Alumna: Muy bonita…
Profesor: El siguiente monumento también es romano, se

trata del Arco de Bará, del siglo primero antes de Cristo, como el Teatro de Mérida.

Alumna: ¿Dónde se encuentra?

Profesor: A 20 kilómetros de Tarragona, en Cataluña. Y el último monumento seguro que lo conoces…

Alumna: ¡Ah, sí! Es la Giralda y está en Sevilla.

Profesor: Pero ¿sabes de qué época es?

Alumna: Es una torre árabe, pero no sé cuándo la construyeron.

Profesor: En el siglo XII, formaba parte de la mezquita principal de la ciudad.

Unidad 2

 [4]

1. Primero te tienes que descargar la aplicación. Puedes hacerlo desde el ordenador o desde tu móvil. Después debes introducir tu nombre completo, tu correo electrónico o tu número de móvil y crear una contraseña y un nombre de usuario. También lo puedes hacer desde tu perfil de Facebook; así es más fácil porque se usan los datos que esta red social ya tiene de ti. Recuerda que, al registrarte, aceptas sus condiciones y política de privacidad; pero no te preocupes, tu correo electrónico y tu número de teléfono no se hacen públicos.

2. A mí me parece el mejor invento. Antes tenía el disco duro demasiado lleno y mi ordenador iba muy lento. Además, ahora me organizo mucho mejor y tardo menos en localizarlo todo; cuando trabajas en equipo eso es importante. También me permite conectarme desde distintos lugares sin el miedo de olvidarme del disco duro o del lápiz de memoria; solo necesito mi nombre de usuario o contraseña y una buena conexión a internet. Yo con la versión gratuita tengo suficiente, y además mis archivos están protegidos de amenazas de virus.

3. Primero tienes que ir a la parte superior de la sección de noticias o a la biografía y hacer clic en "Publicación". Después agrega una actualización de texto o haz clic en el tipo de publicación que quieras compartir (por ejemplo, foto o vídeo, sentimiento, actividad…). Selecciona también dónde quieres compartirla. ¡Ah! Y te recomiendo que no lo hagas todo público; para eso tienes que hacer clic en "Compartir" y seleccionar a las personas que quieres que vean tu publicación.

4. Si tienes problemas para instalarlo, posiblemente es porque ya tienes una versión anterior. En ese caso, te aconsejo desinstalar antes esa versión: pincha en "Programas y características", confirma si en el listado aparece Skype y, si es así, elimínalo. Después, solo tienes que descargarlo de nuevo, seleccionar si lo quieres instalar para Windows, Mac o Linux y seguir los pasos. ¡Espero haberte ayudado!

 [5]

1.

▶ ¿Te importa que nos encontremos un poco más tarde? Es que quiero pasarme antes por casa de mi mamá y voy a ir un poco justa de tiempo.

▷ Sí, claro, sin problema. ¿A qué hora te va bien?

2.

▶ ¿Me permite que coja el bolígrafo para rellenar el formulario? Pensé que llevaba uno en el bolso, pero no lo encuentro.

▷ Sí, claro, cójalo, está ahí para los clientes.

3.

▶ Es que ya no sé qué hacer con este niño… Últimamente se porta muy mal y me paso el día regañándolo… ¿Tú qué hiciste con Sergio cuando tenía su edad?

▷ Pues ya sabes que cada niño es un mundo, pero yo te aconsejo que no te fijes tanto en lo que hace mal y que lo felicites alguna vez por lo que hace bien. A mí me funcionó.

▶ Ay, pues igual tienes razón. Es que además yo no tengo paciencia y…

4.

▶ Profesora, ¿puedo ir al baño? Es que se me ha roto el boli y me he manchado de tinta las manos y la camiseta.

▷ Sí, claro, anda, ve, corre.

5.

▶ Te sugiero que no hagas mucho caso de lo que dice Alberto.

▷ ¡Anda! ¿Por qué dices eso?

▶ No sé, es que no me fío mucho de él. Yo creo que dice una cosa u otra dependiendo de con quién habla.

6.

▶ ¡Jaime, te prohíbo que enciendas el ordenador antes de que termines los deberes! Ya no sé cómo tengo que decírtelo…

▷ ¡Pero, mamá, si es precisamente para hacer los deberes! El profesor nos ha mandado buscar información para hacer un trabajo. ¿Qué quieres, que me la invente?

▶ Bueno, pues a ver lo que buscas, que no me fío…

7.

▶ ¡Mamá, por favor! ¡Déjame ir al concierto con Sara! ¡Te lo suplico!

▷ ¡Ay, Carlota! Que ya te he dicho que no quiero que vayáis tan tarde… y solas…

▶ ¡Que no, mamá! ¡Que vamos con la hermana de Sara, que tiene 18! ¡Por favor!

▷ ¿Seguro que va la hermana de Sara?

▶ ¡Que sí, que sí! Ya verás, llamamos ahora mismo a su madre.

▷ Vale, vale. Si va la hermana de Sara, sí, pero con esa condición.

▶ ¡Gracias, mamá!

[6]

1.

▶ Perdone, señora, ¿puedo abrir la ventana?

▷ Sí, claro, ábrela.

2.

▶ ¿Te importa si cojo estas fresas?

▷ No, no las cojas, las voy a usar yo para hacer un pastel.

3.

▶ ¿Les decimos a los niños ya dónde vamos a ir de vacaciones?

▷ No, no se lo digas aún, que se ponen muy nerviosos.

4.

▶ ¿Quieres que le compre yo el regalo a mamá?

▷ Sí, cómpraselo tú, que conoces mejor sus gustos.

5.

▶ Buenos días, señor Luján, ¿quiere que le envíe los informes por correo electrónico?

▷ Sí, envíemelos, muchas gracias.

6.

▶ ¿Tú sabes a quién le podemos pedir las llaves del garaje?

▷ Pedídselas a Pepe, creo que fue el último que las usó.

7.

▶ ¿Podemos abrir ya nuestros regalos?

▷ No, no los abráis aún, esperad a que estemos todos.

8.

▶ ¿Le importa si me siento aquí? Es que hoy he caminado mucho y estoy muy cansado.

▷ No, claro, siéntese. ¿Se encuentra bien?

Unidad 3

 [7]

Eva: Javi, la profesora de Literatura nos ha rogado que mañana seamos muy puntuales, lo ha repetido varias veces… ¿Crees que ha querido avisarnos de algo?

Javi: Espero que no nos ponga un examen sorpresa porque yo no estoy nada preparado.

Eva: No creo… Seguramente quiere que hablemos del trabajo que hay que hacer para fin de curso.

Javi: ¿Sí? Todavía queda mucho y antes tenemos que leer algunos libros, pero ojalá sea para eso.

Eva: Tal vez está un poco enfadada porque mucha gente ha llegado tarde a clase esta semana. No entiendo por qué deja que entren algunos hasta media hora tarde.

Javi: Bueno, depende… A Silvia le ha pedido un par de veces esperar fuera hasta el final de la clase.

Eva: Es cierto. En cualquier caso, creo que debería prohibir que la gente llegue después que ella.

Javi: Sí, estoy de acuerdo, debería hacerlo.

Eva: Bueno, de todas formas yo te aconsejo que estudies un poco para mañana, por si hay examen. Ojalá lo ponga, porque esta semana he estudiado bastante.

Javi: No digas eso, Eva, por favor, que yo suspendo seguro.

Eva: Ja, ja, ja, que es broma, ¡cómo voy a querer hacer un examen…! Mañana saldremos de dudas.

Javi: Vamos a ver…

 [8]

En la región de América Latina y el Caribe, aunque todavía se presentan algunas carencias, en los últimos años los sistemas educativos han podido cubrir buena parte de las necesidades de la población y los resultados se están viendo. Por ejemplo, Colombia participó en las pruebas Pisa en el año 2012 y sacó 376 puntos. Luego, en 2015, obtuvo un resultado de 416 puntos.

De acuerdo con otras cifras presentadas por los expertos, para 2030 América Latina tendrá un 96.6 % de cobertura en educación primaria, y para 2042 se espera que la cobertura sea universal en este nivel. En cuanto a la educación media, para 2030 se espera que la región tenga un 90 % de cobertura y que en 2066 sea total. Por último, en educación media superior, la cobertura será de un 72.7 % en 2030 y se calcula que alcanzará la cobertura universal para 2095.

Al mismo tiempo, un tema preocupante para la región es el de los maestros, su formación y sus salarios. Los profesores de América Latina ganan menos que otros profesionales. Los docentes de preprimaria y primaria ganan el 76 % de lo que reciben otros profesionales o técnicos, mientras que los profesores de secundaria ganan el 88 % de esa cantidad.

Adaptado de https://www.semana.com/educacion/articulo/informe-unesco-sobre-educacion-en-america-latina/542592

Unidad 4

 [9]

1. El Gobierno destina 100 millones para fomentar el uso del coche eléctrico y la movilidad sostenible

El Gobierno ha aprobado este martes la segunda edición del programa MOVES, siglas de Movilidad Eficiente y Sostenible, que busca incentivar el uso del coche eléctrico y de otras formas de movilidad sostenible. En esta ocasión se invertirán 100 millones, 55 más que el año pasado. La mayor parte de este dinero irá destinado a ayudas para la compra de vehículos eléctricos e híbridos enchufables, con cantidades que podrán llegar hasta los 5500 euros. Pero el plan también incluye otro tipo de acciones, como el apoyo al alquiler de bicicletas eléctricas, la conversión de carriles convencionales en carriles bici o ayudas al transporte público.

Con estas medidas el Gobierno se suma al reto de la Unión Europea, que pretende reducir en un 15 % el uso de vehículos contaminantes –principales responsables de las emisiones de gases de efecto invernadero en las ciudades– para 2025 y en un 37.5 % para 2030.

2. Estado de emergencia por el vertido de 21 000 toneladas de petróleo en el Ártico

El derrame se produjo el pasado viernes a causa de un accidente en la central termoeléctrica de la ciudad siberiana de Norilsk y podría ser el mayor vertido registrado en la historia en la zona del Ártico ruso.

Empresas y entidades federales de Rusia ya se han trasladado al lugar para hacer frente a lo que muchos ya consideran un desastre medioambiental sin precedentes y que ha causado daños ecológicos que, según los expertos, tardarán una década en ser reparados. Mientras se trabaja a contrarreloj en las labores de limpieza, drones y helicópteros supervisan la zona del desastre y han captado las imágenes de la enorme mancha que flota en la superficie del río Ambarnaya.

3. América Latina concentra la mayor deforestación de 2019

Datos demoledores recogidos por Global Forest Watch, GFW, colocan a cinco países de América Latina al margen de los esfuerzos globales por preservar el medioambiente. Brasil encabeza la lista de naciones con mayor deforestación. Le siguen Bolivia, Perú, Colombia y México, que, en total, perdieron 11.9 millones de hectáreas de bosques en 2019.

Señala el informe que "en 2019 cada seis segundos desapareció un bosque tropical del tamaño de un estadio de fútbol".

Esta concentración de deforestación en América Latina, que conlleva graves consecuencias como el aumento de emisiones de dióxido de carbono, se debe, en gran parte, a los numerosos incendios en la Amazonía y a la tala de árboles para realizar actividades de agricultura intensiva.

Adaptado de www.elpais.com, www.serauto.es, www.eitb.eus, www.efeverde.com y www.cambio16.com

 [10]

1. La movilidad del futuro, nos guste o no, pasa por la reducción en el uso del coche privado, dando más prioridad al transporte público, a las bicicletas y a los vehículos compartidos. En el nuevo Plan de Movilidad del Ayuntamiento de la ciudad se contempla la creación de "superislas", una serie de bloques de pisos unidos y con su interior cerrado al tráfico. Dentro de estas manzanas o "islas" y en sus intersecciones se instalarán espacios comunes para el disfrute de los peatones: parques, terrazas, comercios e, incluso, gimnasios al aire libre. Mientras, el tráfico rodeará el perímetro de la superisla, una "isla de tranquilidad" en plena ciudad.

Sobre el papel parece una buena idea: se reducirá el tráfico, el ruido y la contaminación, y a cambio se liberará espacio para otras actividades. Pero ¿serán todo ventajas?

2. Aunque parecía que solo afectaría a la zona centro, finalmente la gentrificación se extiende por otros barrios de la ciudad. Y es que ninguna capital con cierto interés turístico y económico parece librarse de este fenómeno, que ha adquirido especial relevancia en los últimos años y que consiste, básicamente, en la transformación de un espacio urbano deteriorado mediante la rehabilitación de edificios. Esto, que en principio parece positivo, no lo es tanto si se tiene en cuenta que el deterioro previo ha podido ser intencionado y que la "transformación" en realidad significa revalorizar la zona para especular con el precio de la vivienda y de los alquileres. Como consecuencia, los residentes tradicionales se ven obligados a abandonar sus casas y a marcharse a otros barrios más periféricos y económicos, mientras que este "nuevo" espacio es ocupado por clases sociales con mayor capacidad económica y por grandes empresas y fondos de inversión.

3. El nuevo proyecto presentado por el Ayuntamiento para reformar la avenida de la Paz y convertirla en un lugar más "sostenible" se ha presentado rodeado de polémica. La "causa verde" del Gobierno municipal, que consiste en suprimir carriles para el vehículo privado, dejar espacio para un carril bus en cada sentido, eliminar la zona de estacionamiento para ensanchar las aceras e instalar un carril bici, está encontrando su principal obstáculo en la construcción de un aparcamiento subterráneo de 1000 plazas junto al parque de la Amistad, Bien de Interés Cultural de la ciudad. Aunque, según el alcalde, la intención es mejorar el entorno para los vecinos del barrio, estos se oponen en rotundo y han reunido ya 35 000 firmas en contra de la construcción del *macroparking*.

Adaptado de www.diariomotor.com, www.telemadrid.es, www.publico.es y www.eleconomista.es

Unidad 5

 [11]

Conozco a mucha gente con la que tengo una buena relación, compañeros de cuando estudiaba en la facultad y también de los sitios donde he trabajado; pero amigos de verdad, de esos que puedes considerar como parte de tu familia, tengo cuatro: Carmen, Antonio, Julia y José. Los cuatro son muy diferentes, tanto que es increíble que nos llevemos así de bien. Carmen es muy seria, no le gustan nada las bromas. Es también una persona muy responsable y trabajadora, aunque a veces demasiado impaciente y un poquito arrogante, pero no importa demasiado porque, sobre todo, es una persona buena y generosa.

Antonio, en cambio, es muy divertido y gracioso, siempre está haciendo bromas. Yo creo que, en realidad, es un poco inseguro y por eso busca con su simpatía la aceptación de los demás.

Julia es bastante introvertida, muy calladita; no es fácil ganar su confianza, pero cuando lo consigues, descubres que es una persona muy agradable e interesante. Es muy creativa e inteligente, y estoy segura de que triunfará como artista… ¡Ah! No lo he dicho, es que Julia es fotógrafa.

Y luego está José. Somos amigos desde la infancia, empezamos juntos el colegio. José es muy simpático y extravertido aunque no tan gracioso como Antonio; en mi opinión, es quizá demasiado sociable porque a veces se relaciona con personas que no le convienen nada, pero es que a él todo el mundo le parece bueno, es muy confiado. Así son, a grandes rasgos, mis mejores amigos.

 [12]

1. Buscamos un piso o una casa que tenga al menos dos dormitorios, que se encuentre en una urbanización con zonas ajardinadas o que esté muy cerca de algún parque. Debe ser una vivienda que esté sin amueblar, porque queremos llevar nuestros propios muebles, y que no cueste más de 1200 euros.

2. Necesito rentar un cuarto en un departamento compartido o un estudio que esté cerca del centro o de la universidad, que tenga aire acondicionado porque no soporto el calor y que no cueste más de 600 euros al mes.

3. Estoy buscando una vivienda que tenga dos dormitorios, que disponga de una terraza amplia, que se encuentre cerca del centro o que esté muy bien comunicada y que, además, esté amueblada. Debe tener un precio que no supere los 900 euros mensuales.

4. Quiero alquilar una habitación en un piso compartido o un estudio, siempre que el precio no sea superior a 600 euros al mes. Necesito un piso que sea céntrico, que disponga de baño propio, en el caso de que se trate de un piso compartido, y que tenga una plaza de garaje disponible para no estar buscando siempre dónde aparcar.

5. Busco un apartamento o un estudio que se encuentre en el centro o cerca de este, que tenga una cocina totalmente equipada y que esté amueblado o que disponga, por lo menos, de los muebles principales: sofá, armarios, mesa… También es importante que tenga mucha luz y que disponga de un sitio donde aparcar o de una plaza de garaje.

6. Estamos buscando una vivienda para alquilar: una casa o un piso que tenga dos dormitorios, que esté amueblado y que, si no está muy cerca del centro, esté al menos bien comunicado. Buscamos algo que nos cueste entre 900 y 1200 euros al mes. Imprescindible que tenga zonas ajardinadas o parque infantil porque tenemos un niño.

Unidad 6

 [13]

Raquel: Luis, no sé si pedirte que me ayudes con una traducción; cuando te veo estresado, prefiero no molestarte. ¿Estás muy ocupado?
Luis: Puf… Ni te imaginas, Raquel. Te cuento… En cuanto termine de fregar los platos, tengo que poner la lavadora, pero antes de ponerla, quiero cambiar las sábanas. Mientras se lava la ropa, bajaré a hacer algo de compra (viene mi madre a

comer y no tengo nada) y al salir del supermercado, me pasaré por la farmacia a comprar unas medicinas.
Raquel: ¿No tenías que ir a Correos a recoger un paquete? ¿Has ido ya?
Luis: ¡Ah, es verdad! Cuando me llegó el aviso, lo guardé y se me ha olvidado… Pues entonces iré al súper después de pasarme por Correos. Luego, nada más volver, prepararé la comida y mientras se cuece la pasta, seguiré llamando a Luisa hasta que la localice.
Raquel: ¿Para qué necesitas a Luisa? Llevas todo el día llamándola…
Luis: Porque estamos haciendo juntos el trabajo de Literatura. Si no hablo con ella para coordinarnos un poco, no puedo seguir y esta tarde me gustaría avanzar bastante.
Raquel: Ah, vale… Pues nada, te dejo, que estás muy liado… Cuando tengas un momento, vemos lo de mi traducción.
Luis: No te preocupes, después de que mi madre se vaya esta tarde, te llamo y lo miramos en un momento.

 [14]

Las prioridades cambian a lo largo de la vida. En la adolescencia lo que más nos importa de todo son nuestros amigos porque, por primera vez, tenemos la sensación de pertenecer a un grupo distinto al de la familia. Claro que la familia es igual de importante que antes, pero ya no dependemos tanto de ella, porque estamos empezando a explorar el mundo por nuestra cuenta. En la adolescencia todo se vive de un modo absoluto: la amistad, el amor, el éxito, el fracaso…; cada vivencia es la mejor o la peor de nuestra vida, cada chico o chica que conocemos es el más guapo o la más guapa del mundo y cada amor, aunque dure una semana, es el más intenso que hemos sentido. Ya en la juventud el futuro empieza a ocupar cada vez más espacio en nuestros pensamientos y preocupaciones; de hecho, la juventud es, de todas las etapas de la vida, la que más determina nuestro futuro, al menos desde un punto de vista profesional. Nuestra identidad está ahora más clara y, poco a poco, comprendemos cuáles son las cosas que más nos interesan, el tipo de relaciones que menos nos conviene y qué esperamos de los demás. Se trata de un proceso de aprendizaje que nos lleva hasta la madurez. Para saber disfrutar de cada momento, lo más importante no es tener menos de 30 años o más de 60, sino ser consciente de que cada momento es único. Algo obvio, pero que a menudo aprendemos demasiado tarde.

Unidad 7

 [15]

Entrevistador: Ayer os pedimos vuestra colaboración para una encuesta que estamos realizando y os planteamos algunas preguntas; vamos a recordarlas: ¿Qué medio de comunicación prefieres: prensa, radio o televisión? ¿Cuánto tiempo dedicas cada día a informarte en estos medios? ¿Qué tipo de información te interesa más? y, por último, ¿qué trabajo relacionado con los medios de comunicación te parece más atractivo? Estas son las respuestas que nos han dejado en el contestador algunos de nuestros oyentes.

1

Hola, me llamo Cristina. A ver…, contesto. Pues yo prefiero la radio porque puedo escucharla mientras trabajo; es que soy taxista. La verdad es que paso mucho tiempo sola y la radio me hace compañía.

La segunda pregunta… Uf, no sabría qué decirte, porque como tengo siempre la radio encendida en el taxi… No escucho solo informativos, también pongo música o programas de otro tipo, pero noticias escucho muchas. Más de tres horas al día seguro.

Otra… Me interesa mucho la información nacional, especialmente escuchar los debates políticos porque te enteras mejor de cómo están las cosas y las ves también desde diferentes puntos de vista.

Y en cuanto a la última, pues me encantaría ser reportera; debe de ser muy interesante, pero de esas que viajan y dan noticias desde otros países.

2

Hola, soy Francisco. Yo, la verdad, es que sobre todo leo prensa, pero digital; es lo más cómodo porque puedo hacerlo en cualquier momento en el móvil; la radio apenas la escucho y la televisión, para ver series y eso, sí, pero para ver informativos, nunca.

¿Cuánto tiempo le dedico? No sé, imagino que algo más de una hora. Solo le dedico esos tiempos muertos que hay durante el día: mientras voy en el autobús o estoy en la parada esperándolo, por ejemplo.

Luego… Lo que más me interesa es la cartelera para saber qué funciones de teatro hay y qué estrenos de cine; es que me encantan el cine y el teatro. También leo las críticas, claro.

Ah, y el trabajo que más me interesa es el de crítico de cine o de teatro, por supuesto; estaría todo el día viendo películas y, además, gratis.

3

Buenas tardes, me llamo Julia. Aunque me gusta mucho la radio y también suelo leer el periódico, me interesa más la televisión por el poder que tiene la imagen; es mucho más directa y necesita menos explicaciones. Cuando no dispones de mucho tiempo es bastante práctico.

La segunda pregunta… Pues…, menos de una hora, porque solo veo un par de informativos al día, mientras como o ceno, y nunca los veo enteros; las noticias de deportes y las del tiempo que dan al final no me interesan. Lo que más me gusta es ver las noticias internacionales, para saber un poco cómo va el mundo.

Respecto a la última… No sé muy bien…, pero el trabajo de los cámaras que acompañan a los reporteros seguro que es interesante. Creo que es mejor estar detrás de la cámara que delante, te expones menos.

 [16]

1.
▶ Oye, parece que mañana hará mal tiempo…
▷ Da igual, aunque haga malo, iremos a dar una vuelta.

2.
▶ Ahora no puedo, estoy agotado…
▷ Aunque estés cansado, tienes que ayudarme.

3.
▶ ¿Te vienes conmigo al cine?
▷ Vale, aunque a mí ese director no me gusta mucho, la verdad.

4.
▶ Es muy bonito el coche que vas a comprarte.
▷ Sí, aunque cuesta bastante más de lo que pensaba gastar.

5.
▶ Julián me ha dicho que te pedirá perdón.
▷ Pues aunque me pida perdón, no quiero volver a verlo nunca más.

6.
▶ Aunque sea sábado, hoy me quedo en casa; es que no me apetece salir…
▷ ¡Qué aburrido! Yo sí pienso salir un rato.

Unidad 8

 [17]

▶ Esta tarde tenemos con nosotros a Laura, ganadora del concurso organizado por el ayuntamiento "No lo tires, reúsalo" para promover el reciclaje y concienciar sobre el consumo excesivo y descontrolado. Buenas tardes, Laura. Antes de nada, ¡enhorabuena por el premio!
▷ Hola, muchas gracias. Estoy muy contenta.
▶ Cuéntanos, ¿en qué consistía el concurso?
▷ Bueno, se trataba de crear un objeto usando principalmente otros usados que normalmente tiramos: latas, electrodomésticos, recipientes…, cualquier cosa.
▶ ¿Y qué se valoraba?
▷ Se valoraba no usar materiales nuevos y, también, la originalidad y la utilidad del objeto.
▶ ¿Qué cosas se presentaron?
▷ Pues la verdad es que había de todo: lámparas hechas con botellas, juguetes hechos con tapones, cartón reciclado u otros materiales, macetas que antes eran botas…
▶ Sí, la verdad es que había cosas muy originales. He visto que la otra finalista era una barca hecha con botellas de plástico y palés… Pero tú, ¿qué presentaste?
▷ Bueno, no participé yo sola; nuestra profesora de Tecnología nos habló del concurso y algunos compañeros de clase y yo decidimos presentarnos con un sillón hecho con ruedas de coche.

▶ ¿Con ruedas de coche? ¿Cómo se os ocurrió?

▷ Bueno, habíamos visto algunas ideas en internet y el padre de uno de los compañeros tiene un taller, así que contábamos con ruedas suficientes…

▶ La verdad es que los sillones son muy bonitos y parecen muy cómodos. Muchas gracias por venir y enhorabuena de nuevo.

▷ Muchas gracias a vosotros.

 [18]

Miguel: ¡Hola, Sebas! ¿Cómo fue el viaje a Madrid?

Sebastián: Hombre, Miguel, ¿cómo estás? Pues la verdad es que ha sido un viaje estupendo.

Miguel: Qué envidia me das. ¿Qué es lo que más te ha gustado?

Sebastián: Pues mira, me ha encantado el parque del Retiro y el Templo de Debod. Y bueno, como me alojaba en el centro, he cenado todos los días por La Latina.

Miguel: Ay, La Latina… ¡Las mejores tapas de Madrid! ¿Y al Rastro has ido?

Sebastián: Sí, fui el domingo por la mañana antes de volver a casa.

Miguel: ¿Te gustó?

Sebastián: Sí, mucho.

Miguel: Para mí, el Rastro es uno de los lugares con más encanto de Madrid. Cuando vivía allí, iba casi todos los domingos y la verdad es que compré muchísimas cosas.

Sebastián: ¿En serio? Yo vi cosas bonitas, pero no encontraba utilidad para ninguna.

Miguel: Yo compré muchos libros y vinilos.

Sebastián: ¿Por qué compraste tantos vinilos si no tienes tocadiscos?

Miguel: Es verdad, pero es que no los uso para escuchar música, los uso como decoración. En mi habitación tengo un cuadro hecho con vinilos.

Sebastián: ¡Qué buena idea! Soy muy poco original para estas cosas. Vi una máquina de coser preciosa, pensé en comprársela a mi madre, pero al final me dije: si mi madre no cose, ¿qué va a hacer con ella?

Miguel: Pues mira, se puede hacer una mesa para la entrada, por ejemplo.

Sebastián: Es verdad, nunca lo había pensado. Sí que vi en uno de los bares cerca del Rastro mesas hechas con puertas, y pensé que me encantaría tener una mesa así de original en mi casa.

Miguel: Oye, yo tengo que volver a Madrid en dos meses. ¿Por qué no te vienes conmigo y vamos juntos al Rastro?

Sebastián: ¡Qué buena idea! Te llamo esta semana para decirte algo, ¿vale?

 [19]

Entrevistador: ¿Qué son los alimentos ultraprocesados?

Dietista: Son productos industriales comestibles que contienen pocos nutrientes, aunque en su etiquetado se puede leer una larga lista de ingredientes, entre ellos, aditivos como conservantes, colorantes, edulcorantes…

En este grupo se encuentra el 80 % de los comestibles que se venden en los supermercados: refrescos, bollería, carnes procesadas, dulces, *pizza*… Hay otros productos procesados que sí son saludables porque mejoran la calidad del alimento, como, por ejemplo, el aceite de oliva, los quesos artesanos o las conservas de verduras o legumbres.

Entrevistador: ¿Realmente son tan insanos?

Dietista: Sí. Fíjese que estos alimentos contienen al menos una de las siguientes sustancias: sal, grasas saturadas, azúcar o aditivos, aunque en la mayoría de los casos presentan las cuatro a la vez. Todas ellas son perjudiciales.

Entrevistador: ¿Cómo afecta a nuestra salud el consumo de ultraprocesados?

Dietista: Una bebida energética y un dulce industrial, por ejemplo, le suponen al páncreas unos 20 gramos de azúcar que, de manera esporádica, puede procesar, pero que si se consumen habitualmente, acaban perjudicándolo, ya que la insulina se dispara y provoca diabetes tipo 2. Además, se genera un exceso de grasa en el hígado que sube el colesterol. Produce también problemas de tipo cardiovascular y, además, como sobra tanta energía, el cuerpo la acumula en forma de grasa. La obesidad, la hipertensión y la diabetes tipo 2 están asociadas al consumo de este tipo de productos. Por eso, lo más sano es consumir alimentos sin etiqueta y sin lista de ingredientes; alimentos frescos básicos como frutas, verduras, hortalizas, legumbres, frutos secos, semillas, cereales integrales, huevos, carne y pescado.

Adaptado de https://elcomidista.elpais.com/elcomidista/2017/06/21/articulo/1497996129_196916.html

 [20]

Una de las principales ventajas de la dieta mediterránea es que la utilización del aceite de oliva mejora las propiedades de verduras y legumbres. La abundancia de alimentos de origen vegetal en la dieta mediterránea garantiza el aporte de gran variedad de vitaminas, minerales, fibra y otras sustancias beneficiosas para la salud. El elevado consumo de frutas y verduras, además, puede ser la causa de que la dieta mediterránea disminuya el riesgo de padecer algunos tipos de cáncer, como el de estómago.

Precisamente por el alto consumo de fruta, se trata de una dieta muy rica en polifenoles, una sustancia presente en las uvas, granadas y otras frutas que puede reducir en un diez por ciento la mortalidad por enfermedades cardiovasculares.

Al contener también muchos antioxidantes, ayuda a contrarrestar los efectos negativos que la contaminación tiene en nuestra salud. Estos antioxidantes se encuentran en frutas, verduras, legumbres, aceite de oliva, pescado…

Por desgracia, a pesar de sus cualidades, la globalización, la urbanización y el crecimiento demográfico, entre otras razones, están haciendo que la población española abandone poco a poco la dieta mediterránea y adopte unos hábitos alimentarios cada vez peores. Este hecho está provocando un aumento del número de personas con sobrepeso y obesidad, que ya alcanza al cincuenta por ciento de la población adulta, y también una subida significativa en el número de personas que padecen enfermedades cardiovasculares.

Unidad 10

 [21]

Carmen: Hola, Manuel, ¿qué tal? Oye, te llamo para ver si te apetece que hagamos algo juntos luego.

Manuel: Hola, Carmen. Pues yo había pensado quedarme en casa y ver una película de terror, ¿no te apetece?

Carmen: Yo detesto esas películas. Me aburre que usen siempre los mismos recursos para asustar.

Manuel: A mí, en cambio, me divierten mucho, aunque reconozco que la mayoría son muy malas. Lo que no soporto son los musicales.

Carmen: Me sorprende que no te gusten, a mí me ponen de buen humor. Precisamente iba a proponerte ir a ver un musical, pero en teatro.

Manuel: Uf… Mejor hacemos otra cosa… Ya te digo, no soporto los musicales. ¿Buscamos algún sitio para cenar? ¿Ese al que fuimos hace tiempo que tenía música en vivo?

Carmen: No, me molesta que haya música mientras cenamos, no se puede charlar y me pone nerviosa que haya que gritar para entenderse.

Manuel: Pues a mí no me importa que toquen durante la cena, los últimos me parecieron muy buenos.

Carmen: ¿Por qué no vamos a ese argentino donde hacen la carne tan buena? Me encanta…

Manuel: ¡Carmen, hija, que soy vegetariano! Odio esos restaurantes… ¿No te da pena que maten a esos pobres animales?

Carmen: Ah, es verdad… Qué difícil eres… No soportas que te pongan un filete en un plato, pero te pone contento ver zombis y vampiros, ja, ja, ja…

Manuel: ¿Y si salimos a bailar?

Carmen: Me extraña que quieras ir a bailar, no aguantas las discotecas. A mí me da igual, la verdad. Si quieres, vamos.

Manuel: Normalmente me fastidia que haya tanto ruido y tanta gente, pero hoy no me importa, me apetece hacer algo distinto.

Carmen: Algo distinto también sería ir a ver un musical o a cenar en un argentino, ¿no te parece?

Manuel y Carmen: Ja, ja, ja.

 [22]

Entrevistador: En los últimos tiempos, cualquiera que tenga relación con el mundo de la prensa se ha dado cuenta de que las ventas siguen disminuyendo, lo cual indica que la gente cada vez compra menos periódicos. ¿Cómo está la situación en el sector?

Ángel Durández: Bueno, es posible que haya una mejora en cierto tipo de publicaciones, como las revistas, que tienen una periodicidad y unos usuarios distintos. Por ejemplo, las revistas del corazón han batido récords de ventas recientemente. Las revistas no están sometidas a esa caída tan grande en las ventas, incluso aparecen nuevas publicaciones. Pero, en realidad, la caída de los periódicos impresos es imparable.

Entrevistador: Entonces ¿qué alternativas se están buscando?

Ángel Durández: Quizá muchas publicaciones dejen de salir en papel, sobre todo entre semana. Los periódicos buscan caminos para ser rentables y uno de los costes más grandes que tienen son la impresión y la distribución, por lo que la alternativa está clara, se impone lo digital.

Entrevistador: ¿Podrían llegar a desaparecer los periódicos en papel?

Ángel Durández: Probablemente no desaparezcan, los editores no se plantean en ningún momento dejar de editar en papel, pero sí reducir. El papel va a acompañar a internet en los medios de comunicación. Los editores tienen que buscar a los lectores donde están: en el quiosco, en el ordenador y en el móvil. No vemos una guerra papel-internet. Es algo complementario.

Entrevistador: Y en cuanto a los contenidos, ¿qué cambios tendrá que experimentar la prensa escrita?

Ángel Durández: Tal vez tenga que centrarse menos en la noticia inmediata, porque eso ya lo da internet, y deba dedicarse más a los artículos de opinión.

Entrevistador: ¿Podría haber nuevas publicaciones impresas?

Ángel Durández: Puede ser que sí, que surjan publicaciones en papel. De hecho, ya están surgiendo. Lo que es muy poco probable es que aparezca un nuevo periódico de pago en papel. No es imposible, sin embargo, que se publiquen nuevos periódicos gratuitos y revistas.

Adaptado de https://www.estrategiaynegocios.net/lasclavesdeldia/768777-330/cu%C3%A1l-ser%C3%A1-el-futuro-de-la-prensa-de-papel

Notas

Notas

Notas